UN AIR D'ANTIQUITÉ

DÉCORER À SON RYTHME

UN AIR D'ANTIQUITÉ

Rubena Grigg

35 idées de décoration
minutieusement décrites

EDITIONS
Soline

Direction éditoriale LAURA BAMFORD
Direction artistique KEITH MARTIN
Édition NINA SHARMAN, JO LETHABY
Édition artistique GEOFF BORIN, LOUISE GRIFFITHS
Fabrication PHILLIP CHAMBERLAIN

Photographie DI LEWIS
Illustration CAROL HILL

Adaptation française ÉRIC RAMBEAU,
avec le concours de NICOLAS BLOT
Coordination de l'édition française PHILIPPE BRUNET

ISBN 2-87677-345-7
Dépôt légal : 3e trimestre 1999

Malgré tout le soin apporté à la réalisation
de cet ouvrage, il est toujours possible
qu'il comporte des erreurs ou des omissions.
L'éditeur ne peut être tenu responsable
d'éventuels accidents ou dommages occasionnés
par l'utilisation d'outils ou de techniques indiqués
dans ce livre. L'auteur et l'éditeur accueilleront
avec gratitude toute information susceptible
de les aider à maintenir à jour les éditions
ultérieures du présent ouvrage.

Composition et mise en pages : PHB, Paris
Imprimé en Chine

Sommaire

Introduction

En décoration d'intérieur, les goûts et les modes changent au gré des époques. Les rideaux rayés et les grands fauteuils de brocart tellement en vogue dans les années soixante ont été depuis longtemps supplantés par des lins, des cotons bruts, de riches velours aux textures admirables ou bien encore par des soieries chatoyantes et des voilages arachnéens. Les lits de cuivre et à baldaquin, les vieilles dentelles et les exquises courtepointes que nos grands-parents ont troqués contre des objets plus modernes suscitent un vif regain d'intérêt. La roue tourne.

Si vous n'êtes pas fils de famille et propriétaire de véritables antiquités, ou si vous n'avez simplement pas le temps ou l'argent nécessaire à la course aux antiquités vous ne tarderez pas à vous rendre compte qu'il est possible de faire des miracles en travaillant soi-même... et que cela n'est ni difficile ni ennuyeux! Nous avons tous été influencés par certaines modes en matière de mobilier (la plupart d'entre nous possèdent par exemple des meubles en pin brut). Pour des raisons sentimentales, nous nous sentons aussi parfois obligés de conserver des cadeaux ou des objets que nous avons achetés « faute de mieux », en des périodes désargentées... et qui semblent maintenant très déplacés dans un intérieur un peu plus élaboré. Eh bien, sachez qu'avec un peu

d'imagination et de peinture tous ces petits riens peuvent se voir offrir une toute nouvelle existence.

Le but de cet ouvrage est de montrer comment créer un effet en associant quelques inventions peu coûteuses et un peu d'imagination. La pièce la plus ordinaire gagne beaucoup grâce à l'apport de quelque objet de style et d'un peu de couleur. Cet ouvrage regorge d'idées variées, allant d'une délicate harmonie colorée propre à rajeunir de vieux lins et dentelles dans la décoration d'un petit placard, jusqu'à la décoration d'une chambre à coucher en lavande, lilas et vieux rose, en passant par une imitation de vert-de-gris sur une vieille table de machine à coudre Singer (qui prendra tout de suite une allure très contemporaine).

La plupart des meubles utilisés dans ce livre, achetés à faible coût dans des brocantes, ont été rénovés par l'ajout de corniches, angles ou autres artifices découpés dans du médium ou du bois à la scie sauteuse. D'autres meubles ont été complètement transformés par l'apport d'un nouveau plateau, de moulures ou de poignées choisis en fonction du style de la pièce.

Le présent ouvrage comprend de nombreuses réalisations de style, regroupées en chapitres en fonction du temps nécessaire à leur exécution (sans toutefois prendre en compte la durée nécessaire au séchage des peintures ou vernis). Si vous disposez d'une heure, vous pourrez fabriquer un rideau à partir d'une charmante vieille housse de drap ou donner une délicieuse patine vert-de-gris à un vieux seau galvanisé. Profitez d'une soirée libre pour transformer deux bougeoirs de bois en splendides chandeliers argentés qui ne dépareraient pas dans l'entrée d'un manoir.

La plupart de ces projets sont conçus de manière à produire le maximum d'effet au prix d'un effort minimal. Les conseils et trucs judicieux qui vous sont fournis ne manqueront pas de stimuler les imaginations et de séduire quiconque souhaite donner du cachet à son foyer. Ce livre montre que des objets ordinaires et peu attirants sont susceptibles de renfermer de vrais trésors !

Rubena Grigg

Préparation du bois

La plupart des objets anciens en bois portent des traces de peinture, cire ou vernis qu'il faut éliminer avant de se mettre au travail. Confier cette tâche à un professionnel est le plus souvent inutile ; mieux vaut s'en acquitter soi-même. Un décapant approprié, spécialement conçu pour la peinture ou le vernis, est toujours préférable à un produit à tout faire. Commencez, si possible, par retirer poignées et ferrures. Suivez toujours scrupuleusement les conseils du fabricant et, chaque fois que c'est possible, lavez ensuite votre bois à l'eau pour retirer toute trace de décapant. Lisez bien les précautions d'emploi et travaillez avec des gants épais. Effectuez alors toutes opérations de réparation ou rebouchage nécessaires puis, si votre bois n'a pas été préalablement teint dans des tons très sombres traitez-le comme un bois neuf (voir ci-dessous). Une ponceuse électrique réduira de moitié le temps nécessaire.

BOIS TEINT

Poncez les bois teints au papier de verre moyen, en travaillant toujours dans le sens de la veine du bois.

La teinture remonte toujours à travers les couches de peinture appliquées par-dessus, ce qui signifie qu'il faut préalablement « isoler » le bois en le couvrant d'une couche de vernis, de fondur ou de gomme à laquer. Diluez légèrement le vernis gomme-laque avec un peu d'alcool dénaturé. Ce vernis sèche vite, si bien qu'il doit être possible de passer une deuxième couche au bout d'une demi-heure, pendant laquelle vous conserverez votre pinceau trempé dans un peu d'alcool dénaturé pour éviter qu'il ne sèche – évitez les récipients en plastique, que l'alcool ferait fondre. Lorsque la gomme-laque est sèche, passez une sous-couche d'apprêt acrylique puis une couche de peinture vinylique (ou « émulsion »), tous deux à base d'eau.

BOIS BRUT

Passez vos doigts à la surface du bois pour repérer d'éventuelles aspérités, que vous poncerez ensuite au papier de verre moyen, toujours en travaillant dans le sens du bois. Dépoussiérez puis, si le bois comporte beaucoup de nœuds, couvrez-les d'un vernis spécial.

Passez la première sous-couche d'acrylique, qui demande souvent d'être légèrement diluée avec un peu d'eau pour une application plus facile. Laissez sécher avant de reponcer au papier de verre fin, en faisant bien attention aux traces de pinceau. Dépoussiérez puis passez une seconde sous-couche d'apprêt acrylique légèrement dilué. Laissez sécher.

Passez une troisième couche si nécessaire, sinon passez à la peinture proprement dite, dont vous passerez suffisamment de couches pour qu'elle recouvre bien toute la surface.

MÉDIUM

Il faut toujours bien dépoussiérer l'aggloméré avant de commencer à le peindre. Diluez ensuite un peu d'apprêt acrylique avant de passer la première couche. Laissez sécher. Poncez légèrement la surface en faisant bien attention aux zones en relief sur lesquelles l'application de la peinture aurait pu créer de nouvelles irrégularités. Dépoussiérez puis passez une nouvelle couche d'apprêt que vous laisserez sécher avant de poncer à nouveau. Si une troisième couche s'avère nécessaire, ne la poncez pas. Votre support est maintenant prêt à recevoir une peinture à l'eau.

SUPPORTS PEINTS

Si votre surface peinte est régulière, poncez-la au papier de verre moyen en travaillant dans le sens du fil du bois. Vous obtiendrez ainsi une surface qui accrochera bien vos couches de peinture ultérieures.

Dépoussiérez avec un chiffon humide ou un aspirateur. Passez deux couches d'apprêt acrylique légèrement dilué avec de l'eau, en laissant bien sécher après chaque couche. Passez ensuite vos doigts dessus pour détecter d'éventuelles aspérités, que vous poncerez au papier de verre fin en faisant bien attention aux arêtes des plateaux et tiroirs. Couvrez de deux ou trois couches de la peinture de votre choix, pourvu qu'elle soit à base d'eau.

Finitions décoratives

À l'exception des décorations en tissu, tous les travaux proposés dans cet ouvrage nécessitent peu ou prou l'utilisation de peinture. Certains demandent l'emploi de cires métalliques ou crèmes à dorer, d'autres font appel à la technique du découpage-application, mais toutes ces techniques ont en commun de produire des résultats spectaculaires. De nombreux fabricants commercialisent aujourd'hui des peintures en pots de 25 cl ou en pots échantillons, d'une contenance idéale pour la plupart des réalisations proposées ici. La palette de couleurs disponibles est en outre d'une incroyable richesse.

Il est possible de mélanger des peintures acryliques en tube avec des émulsions dont vous souhaitez légèrement nuancer la couleur. Si vous disposez d'une émulsion blanche mate, satinée ou brillante, utilisez-la pour diluer l'acrylique du tube jusqu'à obtenir la teinte désirée, ce qui vous reviendra moins cher que d'acheter de nombreuses peintures acryliques différentes (en particulier si vous désirez de petites quantités pour la réalisation de glacis). Toutes les peintures à l'eau sont miscibles entre elles.

Les peintures acryliques sont disponibles en pots de tailles diverses, et il est souvent possible de s'en procurer des tubes chez de bons papetiers. Pour la décoration de meubles et d'objets métalliques, il est préférable de ne pas trop diluer votre peinture. Un mélange trop aqueux se répand et perd en définition.

L'ÉPONGE

Nombre des effets de peinture présentés ici ont été obtenus en peignant avec une éponge naturelle. Pour obtenir un délicat glacis, mélangez un volume de colle PVA pour un volume de peinture vinylique que vous diluerez dans quatre fois ce même volume d'eau. Ce glacis pratiquement inodore sèche vite et se conserve bien dans un récipient hermétique. Les diverses recettes de glacis présentées dans cet ouvrage peuvent être réalisées à partir de peintures acryliques en tubes ou de petites quantités de peinture vinylique mate. Il est possible de mélanger toutes ces peintures mais, si vous parvenez à trouver la teinte désirée en magasin, utilisez-la dans un glacis, ce qui vous reviendra moins cher et vous permettra d'avoir toujours une petite quantité de glacis prête à l'avance.

Pour le bureau Regency (p. 126) ainsi que le porte-serviettes émaillé et le porte-savon, j'ai employé l'éponge sans trop appuyer, de façon que l'empreinte de sa surface, légèrement imprégnée de peinture, devienne le motif même de l'objet à décorer. Pour les autres

réalisations, j'ai légèrement pressé l'éponge dans ma main et l'ai appliquée en mouvements serrés. La finition de faux marbre appliquée à la table de machine à coudre Singer (p. 118) ainsi que la finition parcheminée de la bassine (p. 82) et celle de la console de toilette (p. 132) ont été réalisées selon cette même méthode. La technique de la peinture à l'éponge permet des effets aussi légers ou chargés que vous le souhaitez, mais il faut toujours se garder des motifs trop répétitifs.

TROMPE-L'ŒIL

Le principe du trompe-l'œil, qui vise à créer une illusion de relief ou de profondeur sur une surface plane, doit beaucoup à l'emploi de rehauts et d'ombres. La réalisation de trompe-l'œil amples et convaincants exige une grande maîtrise de l'art de la perspective. Il est toutefois possible d'obtenir des résultats satisfaisants par le simple emploi de rehauts et d'ombres, en particulier pour reproduire moulures, colonnades et autres corniches avec un réalisme saisissant.

Si vous regardez n'importe quel panneau de porte, vous vous apercevrez que, souvent, seuls deux des côtés de l'encadrement sont visibles. Imitez donc cet effet en peignant des ombres sur deux des

bords (le bas et un côté par exemple) et des rehauts sur les autres côtés lorsque c'est possible. Il est toujours important de bien faire la différence entre les ombres qui définissent la forme d'un objet et celles que projette cet objet.

LES CIRES

Les cires entrent dans la réalisation de nombreux effets de peinture différents tels que les patines, la céruse ou l'imitation de vert-de-gris. Il existe de très nombreux fabricants de cires (parmi lesquelles nous recommandons celles de Libéron) conçues pour permettre au décorateur de produire de nombreux effets très réalistes, dont certains imitent même l'aspect du métal. Ces imitations n'auront jamais le 'brillant, la beauté ou la profondeur de l'argent ou du vrai travail à la feuille d'or, mais elles vous

permettront de vous approcher autant que possible des effets produits par ces matières nobles. Les cires métalliques, aussi appelées crèmes à dorer, font partie des produits les plus simples et rapides à utiliser. Elles se passent au pinceau pour produire un effet très dense (voir la lampe trépied p. 32) ou s'appliquent avec parcimonie pour rehausser certaines zones (voir récipients à pot-pourri p. 42).

FEUILLE D'OR ET D'ARGENT

Pour les doreurs amateurs (ce qui est mon cas), l'utilisation de feuilles

de tombac appliquées sur une assiette à dorer acrylique constitue certainement la manière la plus simple de pratiquer la dorure. L'assiette se passe comme une peinture sur la surface à dorer – qui doit être aussi lisse que possible. Il faut ensuite la laisser sécher au minimum un quart d'heure avant d'apposer la feuille. Cette préparation sèche vite et peut être retravaillée (par l'application de vernis ou d'une technique de vieillissement quelconque) au bout de 24 heures. L'or véritable ne se ternit jamais, contrairement au tombac, qui doit être verni pour éviter qu'il ne noircisse.

La dorure, qu'il s'agisse de dorure à la feuille d'argent ou d'or ou bien de tombac (beaucoup moins onéreux), donne une richesse et un lustre bien plus intenses que ce que peuvent apporter les cires métalliques, les feuilles d'or liquide ou bien encore les poudres métalliques. Si vous préférez une allure plus douce, vous pouvez toujours vieillir une dorure récente.

Vieillissement

Toutes les techniques de vieillissement exposées ici ont pour but de donner aux objets sur lesquels on les utilise une allure légèrement fatiguée, destinée à imiter à la fois les effets du passage du temps et l'accumulation de poussière qui se produit au fil des ans. Je me souviens bien que, décoratrice novice, je ne cessais de m'étonner qu'il faille travailler à vieillir un objet neuf, pimpant et fraîchement peint en le couvrant de cire ou d'un liquide brun sale ! Toute la beauté du procédé réside en fait dans ce qu'elle atténue l'éclat du neuf pour apporter à l'objet une douce allure passée qui lui permettra de mieux se fondre dans le décor.

LIQUIDE À VIEILLIR

La méthode la plus simple pour « vieillir » un objet consiste à le couvrir d'un liquide vieillissant que vous aurez préparé vous-même suivant la recette suivante.

Il vous faudra

Tube de peinture à l'huile terre d'ombre naturelle
Bocal à confiture avec son couvercle
White-spirit
Petit pinceau pour mélanger
Pinceau plat de 25 mm
Papier absorbant

1. Déposez 2-3 cm de terre d'ombre dans le couvercle du pot de confiture. Ajoutez-y un peu de white-spirit puis mélangez bien avec le petit pinceau.

2. Déposez ce mélange dans le bocal. Ajoutez encore deux ou trois cuillerées à soupe de white-spirit et mélangez bien.

3. Passez ensuite ce mélange sur l'objet à patiner, en commençant par une zone peu visible, le temps de vous faire la main. Peignez de haut en bas en suivant bien le fil du bois. Ne vous affolez pas si votre liquide coule dans les creux de votre objet, c'est précisément l'effet recherché. Attendez 5 minutes.

4. Essuyez votre objet avec du papier absorbant. Travaillez dans le sens du bois en changeant régulièrement de papier jusqu'à ce que ce dernier ne ramasse presque plus de peinture.

5. L'intensité du vieillissement est affaire de choix personnel. Même si vous retirez presque tout le liquide vieillissant, la couleur de votre objet se sera cependant quelque peu atténuée. Vous pouvez réparer vos erreurs avec du white-spirit.

BADIGEON À LA PEINTURE VINYLIQUE

Si vous cherchez à obtenir une apparence assez opaque, poussiéreuse, vous pouvez vous contenter de couvrir les surfaces peintes d'un badigeon fait d'une peinture vinylique (ou émulsion) diluée dans quatre volumes d'eau. Choisissez une des différentes teintes de marron que vous pourrez trouver dans le commerce – un ton de café constitue un bon choix.

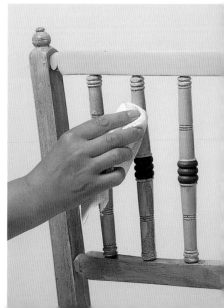

LA CIRE

Bien astiquée, une surface cirée prend une patine d'un luisant merveilleux. On peut teinter la cire d'abeille avec de la peinture à l'huile en tube et obtenir une finition très décorative, protectrice et délicieusement odorante. Il faudra en remettre une couche de temps à autre pour entretenir le luisant et les vertus protectrices de la cire.

VIEILLISSEMENT PAR CRAQUELURE

Le vernis à craqueler se vend en kits de deux flacons dont les contenus vont interagir pour dessiner un délicat réseau de fines craquelures. Le premier liquide à passer, plus sombre, à base d'huile, sèche lentement. Le second, à base d'eau, sèche vite et est plus friable. Le résultat est souvent aléatoire, aussi est-il préférable de faire un premier essai avant de passer à l'objet définitif.

Il vous faudra

Kit de vernis à craqueler
Pinceau plat de 25 mm
Liquide vaisselle
Sèche-cheveux
Petit pinceau pour mélanger
Tube de peinture à l'huile terre
d'ombre naturelle

White-spirit
Papier absorbant
Vernis satiné à base d'huile de
bonne qualité ou laque
polyuréthanne

1. Couvrez l'objet d'une couche régulière mais pas trop épaisse du premier vernis, à base d'huile.

2. Laissez sécher de 4 à 6 heures. La surface sera alors collante au toucher. La durée de séchage dépend de la température ambiante et de l'épaisseur de la couche de vernis. Plus vous laisserez sécher et plus les craquelures obtenues seront fines. Si vous attendez vraiment trop longtemps, vous risquez même de ne pas avoir de craquelures du tout !

3. Passez ensuite le deuxième vernis en une couche pas trop épaisse. Vous verrez alors apparaître de petites bulles donnant une apparence presque mousseuse à la surface de l'objet, et il pourra être difficile d'éliminer les traces de pinceau. Pour éviter cela, il existe un excellent « truc » (que je dois à Belinda Ballantine) consistant à délicatement masser la surface à vernir du plat de vos doigts. Vous faciliterez ainsi l'adhérence de la deuxième couche en éliminant les bulles et les traces de pinceau. Présentez votre objet à la lumière de manière à voir s'il demeure des traces de pinceau ou des « trous » dans la couche. Si tel est le cas, déposez une goutte de liquide vaisselle sur votre doigt et frottez-en la deuxième couche avant qu'elle ne sèche. Vous verrez que cette méthode accomplit de vrais miracles.

4. Laissez sécher au moins une heure (le mieux étant d'attendre une

nuit entière), puis chauffez au sèche-cheveux réglé sur chaleur moyenne ; une puissance excessive ferait cloquer le vernis. Prenez le temps de bien passer le sèche-cheveux sur toute la surface à décorer. Les craquelures n'apparaissent pas instantanément : soyez patient.

5. Mélangez un peu de terre d'ombre avec du white-spirit jusqu'à obtenir la consistance d'un dentifrice et frottez-en la surface de votre objet avec un papier absorbant ou un petit pinceau.

6. Lorsque vous avez couvert toute la surface, essuyez au papier absorbant les traces de peinture trop épaisses, en essayant de la faire pénétrer dans les craquelures. Continuez (en mouvements circulaires) jusqu'à ce que le papier ne prélève presque plus rien. Si la surface est importante, procédez par petites zones.

7. Laissez sécher au moins une nuit entière. Protégez le tout d'une couche de vernis à l'huile, car la surface craquelée, soluble à l'eau, ne doit pas être mise en contact avec l'humidité ou l'eau avant d'être vernie. Utilisez un vernis satiné, qui évitera des reflets déplaisants sur le support.

Équipement de base

Que vous travailliez au sol, sur une table ou sur un établi, commencez toujours par étendre des housses ou des feuilles de polyane. Rassemblez tous les outils dont vous aurez besoin : un vieux tournevis pour ouvrir les boîtes de peinture, des cuillères pour mesurer la peinture, du papier absorbant, des bocaux à confiture, des gants, une règle plate (un morceau de moulure peut faire l'affaire) ainsi qu'un récipient d'eau pour diluer la peinture et empêcher vos pinceaux de sécher.

PINCEAUX ET ÉPONGES

Pinceaux ordinaires – Pour la plupart des réalisations, vous serez amené à utiliser un pinceau plat ordinaire de 25 mm, de qualité suffisante pour qu'il ne perde pas ses poils. Il est préférable de ranger séparément les pinceaux selon qu'ils servent à appliquer les peintures à l'eau ou les peintures à l'huile, de même qu'il faut séparer ceux employés pour la peinture de ceux utilisés pour le vernis. Les pinceaux à poils synthétiques donnent de bons résultats avec les peintures à base d'eau.

Après avoir travaillé, lavez vos pinceaux avec un solvant adapté au type de peinture ou de vernis dont vous vous êtes servi, pour éviter de vous retrouver avec des paquets de poils séchés, parfaitement inutilisables. Pour les produits acryliques, il est possible de laisser tremper les pinceaux dans un peu d'eau entre deux utilisations, mais une fois le travail achevé, il faut les laver à l'eau chaude savonneuse puis les rincer et les laisser sécher. Si des poils dépassent, enroulez la tête du pinceau dans du papier absorbant pour lui redonner sa forme. Si vous utilisez une peinture ou un vernis à l'huile ou bien une laque polyuréthanne, il faudra nettoyer vos pinceaux au white-spirit avant de les laver à l'eau chaude savonneuse.

Brosses à tableau – Les brosses à tableau en poils synthétiques conviennent très bien à l'application de dorure sur les moulures ou pour tout travail exécuté à l'acrylique. Leur coût raisonnable les rend préférables à d'autres pinceaux plus onéreux pour ce genre de travail, car les particules d'or finissent par engorger la virole, séparer les poils et abîmer le pinceau. Les pinceaux en poils de martre sont bien trop souples et coûteux pour ce type d'activité. Les brosses à tableau

n° 1, 2 et 3 conviennent à la peinture de détails ; les n° 4 et 5 sont tout indiqués pour peindre par exemple les pétales d'une fleur mais aussi pour appliquer une dorure acrylique sur le rebord d'une cruche ou d'un saladier, ou bien encore pour peindre des moulures sur de petits objets. Les n° 7 et 8 sont à utiliser pour la peinture de grosses moulures (sur pieds de chaises ou de tables, par exemple) ou pour le remplissage d'une bordure (voir le placard p. 46) ou pour le ruban bleu de la coiffeuse (p. 100).

Les pinceaux de putois – Les putois ronds, dont les poils sont très serrés, sont susceptibles d'utilisations très diverses car ils retiennent une quantité de peinture importante. Ils sont de qualité très variable. Pour les réalisations de cet ouvrage, je me suis contentée de pinceaux bon marché.

Pinceaux à filets – Disponibles en magasins spécialisés, ces pinceaux ont des poils très longs qui facilitent beaucoup la peinture de filets, qu'ils soient rectilignes ou courbes.

Assurez-vous que votre pinceau est chargé de manière homogène.

Éponges de mer naturelles Aucune éponge synthétique ne vous permettra d'obtenir des résultats satisfaisants lors de la réalisation des travaux présentés dans ce livre. Les petites éponges naturelles, d'un prix raisonnable, peuvent servir à la peinture de petits objets mais, pour la décoration d'un mur il vous faudra utiliser un modèle plus important.

ABRASIFS

Les papiers abrasifs sont communément appelés « papiers de verre », ce qui ne signifie pas que tous contiennent des particules de verre, les agents abrasifs pouvant être très divers (oxyde d'aluminium, carbure de silicium).

Les papiers abrasifs sont classés en fonction de la grosseur de leur grain, indiquée au dos de chaque feuille – plus le nombre est petit et plus le grain sera gros. Trois grosseurs sont généralement suffisantes pour accompagner un bois du stade brut jusqu'à la finition. On commencera par exemple avec du 100, pour continuer avec du 180 et finir avec du 240. Le 100 convient bien au ponçage d'un bois brut comme à la préparation d'un vieux bois peint : il facilite alors l'accrochage de la peinture. Après séchage de la première couche d'apprêt acrylique, on poncera avec du 180 avant de passer la deuxième couche. Après séchage de la dernière couche d'apprêt, on utilisera un 240 pour bien lisser le tout et obtenir un aspect satiné.

Le plus fin de tous les papiers abrasifs est l'oxyde d'aluminium, de couleur noire – on l'appelle également papier « sec et humide ». Le 1000 sert au ponçage d'une surface couverte d'une laque à base d'eau après découpage-application, mais pas avant l'application d'une dizaine de couches au moins.

Utilisez-le avec un peu d'eau et, avec un chiffon humide, épongez au fur et à mesure le liquide pâteux qui se forme ainsi. Laissez sécher avant d'essuyer avec un chiffon imbibé d'huile de lin et de passer une nouvelle couche de laque.

Papier découpé – Papier d'emballage de qualité, photocopies coloriées à la main ou photocopies couleur peuvent être utilisés pour le découpage-application. Il est essentiel qu'un seul côté du papier soit imprimé, pour éviter que le motif du verso ne ressorte par transparence lorsque vous passerez le vernis. Si vous utilisez différentes sortes de papier, assurez-vous qu'ils sont de même nature (photocopies, peintures ou impressions), faute de quoi le résultat manquera d'homogénéité. Veillez à ce que vos papiers soient aussi de même épaisseur.

Ciseaux – Utilisez des petits ciseaux pointus et très aiguisés, à lames droites ou courbes. Pour le découpage-application, n'utilisez jamais de cutter ou de scalpel, qui créent des incisions d'un angle trop prononcé. De plus, leur emploi ralentit considérablement le travail.

Colle – Vous travaillerez avec des colles pour papiers peints lourds, que vous appliquerez avec un petit pinceau. J'ai fait des essais avec des colles PVA, mais elles se sont avérées peu compatibles avec un fond peint, souvent fait d'un glacis à base d'eau, de peinture vinylique et de colle PVA. La colle à papier peint est en outre plus résistante et d'emploi plus facile. Comme la plupart d'entre elles contiennent un agent fongicide susceptible d'irriter

la peau, il faut éviter de se toucher le visage en travaillant.

Le nettoyage – Nettoyez les traces de colle avec une petite éponge ou du papier absorbant légèrement humide. Il existe des tissus imprégnés d'huile de lin qui pourront servir au dépoussiérage du support entre deux couches de vernis.

Laques et vernis – Il existe des laques acryliques à base d'eau spécialement conçues pour le découpage-application. Il faudra en passer une dizaine de couches, laisser sécher puis poncer au papier d'oxyde d'aluminium 1000 (voir ci-dessus). Les vernis ordinaires à l'acrylique ne donnent pas de bons résultats car ils prennent une apparence laiteuse et caoutchouteuse.

Les laques à l'eau sèchent très vite, ce qui permet d'en passer de nombreuses couches dans une seule journée. Contrairement aux vernis à base d'huile, elles n'altèrent pas les couleurs du fond. Il faut toutefois remarquer qu'elles n'en ont pas non plus la merveilleuse profondeur, inconvénient auquel on peut remédier en passant au moins une dizaine de couches avant l'application d'un vernis à l'huile satiné. Pensez toujours à laisser sécher à fond puis à dépoussiérer

avec un chiffon imbibé de vernis avant le passage de chaque nouvelle couche.

Autres accessoires – Vous aurez besoin d'un plan de travail sur lequel poser vos découpages pour les encoller. Vous pouvez choisir indifféremment un morceau de Formica, une plaque de contre-plaqué ou bien encore une surface de carton rigide épais.

Un cutter sera utile pour soulever vos découpages du plan de travail ou les positionner sur votre support. La craie servira à tracer les contours de l'image découpée. Ne jetez pas vos bocaux ni vos récipients en plastique avec couvercle (comme ceux dans lesquels on achète les glaces) ; ils vous serviront de récipients pour l'eau ainsi que pour vos peintures et glacis. (N.B. conservez toujours les solvants dans des récipients en verre.)

Des merveilles en 1 heure

Avec un peu d'imagination et quelques trucs peu coûteux vous pourrez obtenir des résultats très satisfaisants. Quelques chutes de tissu apporteront une note de couleur en même temps qu'elles vous serviront à mettre en valeur de vieilles photos. Une banale bassine galvanisée sera vieillie par l'application d'une patine vert-de-gris. Transformez aussi un récipient de plastique en une splendide urne de plomb qui, placée aux côtés d'une console de style médiéval, fera sensation dans votre jardin.

14

Suspensions pour cadres

Une suspension pour cadre faite d'un ruban coloré constitue un moyen très simple pour apporter gaieté et fantaisie dans n'importe quel coin de la maison. Les tissus aux couleurs douces et subtiles se mêlent merveilleusement aux vieilles gravures, aquarelles et photos sépia, tandis que le choix de couleurs riches et vibrantes réfléchit et attire la lumière

Nœud en soie rose

Il vous faudra

Rectangle de soie rose (51 x 28 cm) pour le nœud, plus une bande de 5 cm pour le pendant
Fer à repasser
Épingles
Machine à coudre
Mètre ruban
Fil et aiguille
Anneau à rideau de 25 mm

Ces nœuds décoratifs sont du meilleur effet aussi bien sur un simple mur blanc que sur un fond chaleureux couleur terre.

Si votre décor comprend déjà divers tissus il vous reste peut-être quelques chutes de tissu rayé, uni ou à carreau que vous « recyclerez » pour la confection de ces nœuds. Sinon, la plupart des magasins de tissu vendent aussi des chutes à des prix raisonnables. Si votre détaillant ne vend pas de petites quantités, faites votre choix en fonction de travaux que vous souhaiteriez faire ultérieurement – coussins, chaises à tapisser...

1. Pliez en deux le grand rectangle de soie dans le sens de la longueur, endroit sur endroit. Repassez légèrement à fer doux.

2. Épinglez pour maintenir les côtés pendant que vous coudrez. Piquez à la machine sur trois côtés, à 15 mm du bord du tissu ; laissez un petit côté ouvert.

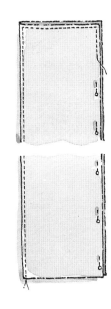

3. Remettez sur l'endroit puis retournez vers l'intérieur les bords non cousus du côté ouvert ; repassez légèrement pour faire tenir en place.

4. Installez le rectangle de tissu à l'horizontale et repliez les deux côtés vers le centre jusqu'à ce qu'ils se touchent. Épinglez pour fixer, puis cousez les extrémités à la machine en tenant les points près du bord mais en tournant avant d'arriver au bout.

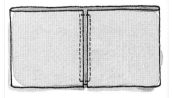

5. Pliez la petite pièce de soie en deux dans le sens de la longueur, endroit contre endroit, puis repassez comme pour le premier tissu. Épinglez puis cousez sur trois des côtés, comme précédemment.

6. Retournez le tissu sur l'endroit, retournez les bords non ourlés du petit côté non cousu, repassez puis cousez le dessus pour refermer.

7. Disposez la première pièce de soie, les points tournés vers le dessus, en travers de l'autre pièce, à environ 6 cm du haut du pendant (l'extrémité où les points sont visibles).

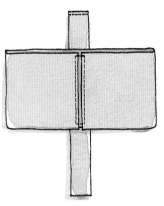

8. Repliez le haut du pendant de manière à l'enrouler autour de la médiane du nœud, que vous resserrez.

9. Cousez à la main l'anneau à rideau sur l'arrière du nœud. L'anneau servira à accrocher le nœud au mur.

10. Faites passer l'extrémité inférieure du pendant à travers l'anneau fixé au dos de votre cadre et cousez pour maintenir en place. Vous pouvez aussi accrocher le nœud au mur, positionner le cadre en dessous et enfoncer le clou dans le mur à travers le tissu.

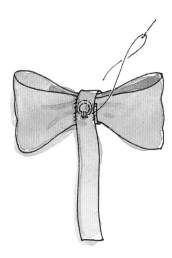

ROSETTE À POMPONS

Il vous faudra

Des épingles, dont une longue avec une tête en verre ou arrondie
2 bandes de soie rose de 66 x 7,5 cm pour la rosette
Machine à coudre
Fer à repasser
Ciseaux
Une bande de soie moirée verte de 102 x 9 cm pour la rosette plus quatre autres de 61 x 7,5 cm pour les pendants
2 petits pompons
23 cm de cordelette étroite roulée et cousue de sorte que les extrémités

en soient dissimulées
Anneau à rideau de 25 mm

La taille de cette rosette, qui ne déparerait pas dans une pièce raffinée, est parfaite pour mettre en valeur un cadre de taille importante, en particulier si la hauteur du plafond nécessite que certains cadres soient suspendus assez haut.

1. Pour la confection du disque extérieur de la rosette, épinglez les deux bandes de soie rose endroit contre endroit. Cousez à 1,5 cm du bord en laissant un petit côté ouvert. Retournez sur l'endroit, repliez les bords non cousus vers l'intérieur, repassez-les puis cousez pour refermer.

2. En commençant par l'autre extrémité de cette bande de tissu de double épaisseur, plissez-la peu à peu pour lui

donner une forme arrondie. À mesure que vous progressez, cousez à petits points au dos pour tenir en place et fixez les plis du devant de deux ou trois points proches du centre.

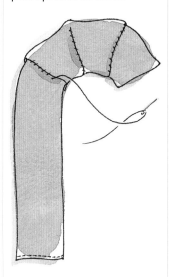

3. Continuez jusqu'à obtenir un cercle ; terminez en fixant bien l'extrémité par-dessus le trou central, sur quoi vous attacherez par la suite le reste de la rosette.

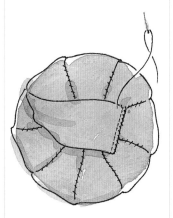

4. Prenez la grande bande de soie verte dont vous retournerez les bords longs sur une largeur de 1,5 cm. Repassez. Pliez en

deux dans le sens de la longueur, envers contre envers, et repassez.

5. Doublez votre fil pour en accroître la solidité puis cousez à grands points le long du côté ouvert.

6. Faites coulisser le tissu le long du fil pour le plisser. Fixez temporairement les extrémités du fil en les enroulant en « 8 » autour d'une grande épingle plantée dans le tissu. Ceci maintiendra votre rosette en forme jusqu'à ce vous l'ayez cousue à la main sur le disque rose précédemment réalisé.

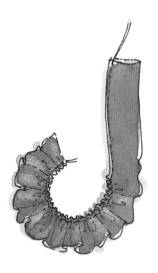

7. Roulez deux ou trois fois la bande verte plissée et cousez-la fermement sur le disque rose. Cousez sur l'arrière en traversant toutes les épaisseurs puis coupez vos fils à ras.

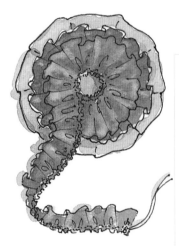

8. Faites une entaille en « V » à l'une des extrémités de chacune des quatre bandes vertes prévues pour les pendants, que vous coudrez ensemble deux par deux en procédant comme en 1 et en laissant ouvertes les petites extrémités. Retournez sur l'endroit et finissez en repassant puis en cousant comme avant.

9. Cousez soigneusement le haut du cordon de chaque pompon à l'entaille en « V », en prenant soin de ne percer qu'une seule épaisseur de tissu, de façon que les points ne se voient pas sur le devant.

10. Cousez à la main la cordelette roulée sur le centre de la rosette, puis cousez le haut des pendants sur l'arrière de la rosette. Cousez l'anneau à rideau sur l'arrière des pendants puis suspendez la rosette au mur.

11. Mettez le cadre en place, enfoncez le clou à travers les pendants de la rosette.

Nœud papillon en coton rayé

Il vous faudra

*4 bandes de coton rayé rose
    pour les pendants (deux
    de 112 x 7,5 cm et deux
    de 40,5 x 7,5 cm)*
*2 bandes de coton rayé rose de
    46 x 13 cm pour le nœud
    papillon*
Fer à repasser
Ciseaux
Épingles
Machine à coudre
Mètre ruban
Fil et aiguille
Anneau à rideau de 25 mm

La fraîcheur de ce pendant en fait un accessoire tout indiqué pour une chambre à coucher ou une chambre d'enfant.

1. Endroit contre endroit, pliez en deux dans le sens de la longueur les quatre morceaux de tissu destinés au pendant. Repassez-les puis découpez à 45° l'une des extrémités de chacun d'eux. Épinglez puis cousez à la machine à environ 1,5 cm du bord. Vous coudrez ainsi le côté long et le côté biseauté.

2. Retournez sur l'endroit, pliez les extrémités non cousues vers l'intérieur. Repassez puis piquez à la machine.

3. Pour le nœud papillon, épinglez les deux morceaux restants endroit contre endroit puis cousez trois des côtés à la machine et terminez comme indiqué pour les étapes 3 et 4 de la page 17.

4. Assemblez les pendants et le nœud comme indiqué pour le Nœud de soie rose (p. 17), en disposant le nœud à l'horizontale par-dessus les deux plus longs pendants, l'un d'entre eux dépassant légèrement vers le haut de manière à se replier par-dessus le nœud. Le résultat sera ainsi moins volumineux que si vous retourniez les deux pendants.

5. Derrière le nœud, cousez à la main les deux petits pendants ainsi que l'anneau.

6. Accrochez le tout au mur puis suspendez vos cadres aux grands pendants.

Rideaux estivaux

Pour apporter un peu d'air et de fraîcheur à votre maison pendant les mois d'été, une belle nappe en dentelle blanche transformée en rideau de demi-hauteur fera l'affaire. Votre pièce y gagnera une touche d'intimité supplémentaire et bénéficiera d'une lumière plus tamisée.

RIDEAU-DRAP À DENTELLE

Il vous faudra

Tringle à rideau extensible
Vieux drap ou housse de drap

Nappes et dessus-de-lit en dentelle font d'excellents rideaux. Faites des essais en suspendant à une tringle à rideaux une jolie dentelle à l'ancienne ou bien un dessus-de-lit en dentelle. Vous pourrez le tirer sur un côté pendant la journée. Pendant la nuit, tiré sur toute la largeur de la fenêtre, il vous protégera des regards

indiscrets tout en vous laissant la possibilité d'ouvrir la fenêtre pour laisser passer l'air.

Écumez les brocantes pour y dénicher de vieux draps bordés de dentelle. Vous pouvez aussi faire votre propre rideau à partir d'un drap ordinaire sur lequel vous coudrez une longueur de dentelle au tricot ou au crochet. Pensez bien à laisser en haut un ourlet assez large pour y glisser la tringle.

Les tringles extensibles s'adaptent à des fenêtres de largeurs très diverses. Une fois qu'elles sont étirées à la bonne longueur, il suffit de resserrer une vis pour les bloquer. Choisissez un modèle qui puisse s'adapter à votre fenêtre et suivez soigneusement les conseils du fabricant.

1. Glissez la tringle dans l'ourlet puis fixez-la au mur (voir schéma ci-dessus). Si votre drap possède un large ourlet entièrement fermé aux deux extrémités, l'amidonnage vous empêchera probablement d'en défaire les coutures. Le plus simple est alors de pratiquer sur l'arrière une incision suffisamment large pour y passer la tringle. L'amidon empêchera cette entaille de s'effilocher.

RIDEAU-NAPPE

Il vous faudra

Tringle à rideau extensible
Nappe en lin et dentelle

1. N'oubliez pas que le tissu doit être plié en deux par-dessus la tringle. Si vous voulez installer votre rideau derrière des doubles

rideaux, il peut être un peu trop étroit, car les côtés seront dissimulés ; évitez en revanche de choisir une nappe trop large.

Ce rideau aura meilleure allure suspendu dans la partie supérieure de la fenêtre (voir schéma ci-dessus). Si vous avez de grandes fenêtres à guillotine, choisissez son emplacement à votre guise.

Jardinière galvanisée imitation vert-de-gris

Le vert-de-gris est un oxyde bleu-vert qui se forme sur le cuivre et les alliages de cuivre exposés à l'humidité. En imitant cette couleur, vous conférerez une noble patine au plus humble des accessoires métalliques.

Il vous faudra

Brosse à récurer ou grattoir
Bassine galvanisée
Eau chaude et liquide vaisselle
Émulsion mate verte
Pinceau plat de 25 mm
Pinceau rond
Patine Libéron vert-de-gris

On trouve dans le commerce des kits à vert-de-gris très coûteux, mais il est possible d'obtenir le même effet en utilisant un peu de peinture verte et une patine vert-de-gris. Le tout se fait en un rien de temps, pour une somme très modique. Vous améliorerez ainsi considérablement l'aspect d'un support très ordinaire.

Cette bassine peut être exposée en extérieur avec des géraniums (voir page ci-contre) mais aussi en intérieur, par exemple avec des fleurs séchées ou un bouquet de lavande entouré de lichen.

Vous pouvez la remettre dehors au printemps, la remplir de compost et y semer des graines de capucines qui vont vite déborder pour répandre les taches colorées de leurs fleurs et égayer une terrasse ou un coin de jardin.

1. Récurez à fond le seau avec une brosse et une bonne quantité d'eau chaude et du liquide vaisselle. Rincez à fond et laissez sécher.

2. Trempez l'extrémité de votre pinceau plat dans la peinture verte puis peignez le seau en tapotant. Couvrez ainsi l'extérieur mais aussi l'intérieur sur une profondeur de 15 cm environ. Laissez sécher.

3. Passez la cire au pinceau rond, toujours en tapotant. Couvrez ainsi l'extérieur puis l'intérieur sur une profondeur de 15 cm, mais laissez transparaître la première couche de peinture de manière à donner une allure légèrement irrégulière. Une fois la cire sèche, la bassine est prête à l'usage.

Urne et console médiévales

Qui croirait que cette console et cette urne, d'allure si authentique, sont respectivement en béton et en plastique ? Vite décorées, elles apporteront une touche d'originalité dans un jardin aussi bien que dans une entrée.

URNE

Il vous faudra

Urne en plastique
Émulsion mate noire ou gris sombre, émulsions crème et marron (facultatif)
Pinceaux plats de 25 mm
Cuillère et assiette
Talc en poudre
Vernis extérieur mat

1. Peignez l'intérieur et l'extérieur de l'urne en noir ou gris très foncé. Laissez sécher.

2. Installez l'urne tête en bas pour peindre les endroits que vous auriez négligés précédemment, puis passez la deuxième couche. L'urne doit être bien recouverte.

3. Déposez plusieurs touches des diverses peintures sur votre palette. Mélangez un peu de talc à la peinture crème pour l'épaissir. Trempez votre pinceau successivement dans les différentes couleurs puis tapotez en divers points. Utilisez les couleurs les plus sombres pour les emplacements ombrés et les plus claires pour rehausser les reliefs. Ne nettoyez pas le pinceau entre les différentes peintures : le mélange qui en résulte aura ainsi bien meilleure allure. Laissez sécher un peu avant de repasser de la peinture jusqu'à obtenir l'effet désiré. Laissez alors sécher complètement.

4. Finissez en protégeant la peinture de deux couches de vernis extérieur pour éviter qu'elle ne s'écaille. Laissez bien sécher avant la deuxième couche.

CONSOLE

Il vous faudra

Vieille cuillère
Émulsion mate noire ou gris foncé, émulsions blanche ou crème et marron
Boîte en plastique avec couvercle
Pinceau plat de 25 mm
Console en béton
Vernis extérieur mat (facultatif)

Si vous ne parvenez pas à trouver une vieille console de récupération, il suffira d'en prendre une neuve et de la vieillir selon la méthode suivante. On trouve des consoles neuves dans des matériaux aussi divers que béton, métal, bois, plâtre, plastique ou même polystyrène. Le tout est de réussir à les vieillir, les patiner, de manière suffisamment convaincante.

1. Déposez trois ou quatre cuillerées de peinture noire ou gris foncé dans un récipient en plastique. Ajoutez un peu de blanc ou de crème et mélangez bien jusqu'à obtenir une couleur qui rappelle celle du plomb.

2. Peignez la tablette de la console et laissez sécher. Si le béton est très poreux, repassez encore une ou deux couches jusqu'à ce que le support prenne un aspect lisse.

3. Retournez la console tête en bas et renouvelez l'opération.

4. Quand le résultat est satisfaisant, laissez sécher puis préparez un nouveau mélange couleur plomb. Déposez une cuillerée de peinture marron et un peu de blanc ou de crème sur le couvercle de la boîte, que vous utiliserez comme palette.

5. Peignez en procédant comme pour l'étape 3 de l'urne.

6. Si vous destinez cette console au jardin, protégez-la de deux couches de vernis extérieur, en ne passant la seconde qu'après séchage complet de la première. Si vous ne vernissez pas, la peinture peut très bien résister, mais il faudra lui apporter de temps à autre des retouches, car les couleurs finiront par passer.

Tout transformer en 2 heures

Certaines des réalisations proposées dans ce chapitre devraient suffire à vous convaincre que le vrai secret réside dans un coup d'œil suffisamment averti pour repérer de loin une bonne affaire, en sachant y voir la merveille qu'elle recèle. Ainsi, un objet banal, aisément considéré comme sans intérêt, va se métamorphoser sous vos mains.

Table en bambou et chaise en faux bambou

Il n'est pas rare de trouver dans des brocantes du mobilier en bambou couvert d'une peinture si épaisse qu'on ne voit même plus le bois. Ces meubles valent souvent la peine d'être remis à neuf ou bien décapés et repeints. Cette vieille chaise a été retapissée et peinte de manière à imiter le bambou.

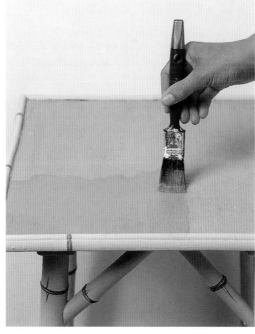
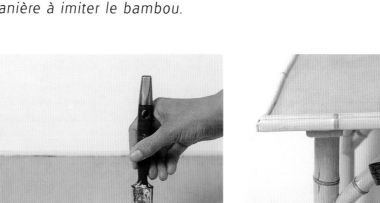

TABLE EN BAMBOU

Il vous faudra

Table de bambou, décapée
Papier de verre fin
Quelques perles et de la colle à bois
Petit marteau
Sous-couche d'apprêt acrylique blanche
Pinceaux plats de 25 mm
Émulsion crème mate
Brosse à tableau n° 3
Tube de peinture acrylique vert bambou (vous pouvez aussi utiliser une émulsion verte mate)
Gomme-laque et vieux pinceau
Pot à confiture
Alcool dénaturé

Le mobilier en bambou connaît aujourd'hui un regain de faveur. Outre les meubles de vrai bambou on trouve aussi des articles finis en imitation écaille de tortue ou bien encore laqués ou peints en imitation ébène. Il existe par ailleurs une multitude de techniques d'imitation du bambou, certaines d'entre elles comprenant la figuration des nœuds du bois dans des couleurs telles que brun, vert ou indigo. Toutes ont leur charme, c'est à vous de choisir en fonction du reste de votre décor. Une table comme celle que nous avons utilisée, susceptible d'emplois très divers, servira en n'importe quel endroit de la maison ou dans un jardin d'hiver.

J'ai commencé par la passer au décapant chimique. Les deux plateaux étaient en bon état, à l'exception des anneaux, qui ont dû être refaits. Le décapage, laborieux, n'étant pas venu à bout de toutes les traces de peinture, la meilleure solution était de la recouvrir d'une imitation peinte.

1. Effectuez toutes les réparations nécessaires et poncez les irrégularités au papier de verre fin. Dépoussiérez avant de commencer à peindre. Si vous devez installer d'autres anneaux, étalez un peu de colle sur leur envers avant de les mettre en place et de les pointer.

2. Retournez la table et passez la première sous-couche blanche. Si la peinture est trop épaisse, diluez-la avec un peu d'eau. Remettez la table sur ses pieds et appliquez la sous-couche sur toute la surface. Faites disparaître les coulures éventuelles, passez une seconde sous-couche et laissez sécher.

3. Passez maintenant l'émulsion crème en peignant bien dans le sens du bois. Laissez sécher.

4. Peignez ensuite les plateaux à l'émulsion brun clair, en travaillant dans le sens du bois. Laissez sécher.

5. La finition aura meilleur aspect si vous passez ensuite une couche d'émulsion crème sur le cadre et les pieds. Veillez à ne pas déborder sur les anneaux.

6. Avec une brosse à tableau n° 3, couvrez les nœuds du bois en vert et créez-en de nouveaux à intervalles réguliers sur les anneaux. Accentuez ces derniers en dessinant de petites marques verticales.

7. Si nécessaire, appliquez une dernière couche d'émulsion brun clair.

8. Pour donner à votre table une allure plus vieillie, versez un peu de gomme-laque dans un petit pot de confiture que vous refermerez ensuite. Passez alors une première couche à coups de pinceau rapides en évitant de repasser sur les endroits déjà couverts, ce qui créerait des taches sombres. Si la laque s'avère difficile à étaler, diluez-la avec un peu d'alcool dénaturé.

CHAISE EN FAUX BAMBOU

Il vous faudra

Vieille chaise décapée
Vernis (gomme-laque) et vieux pinceau
Sous-couche acrylique blanche
Pinceaux plats de 25 mm
Émulsion crème mate
Papier de verre fin
Tube de peinture acrylique vert de Hooker
Brosse à tableau n° 3
Tube de peinture à l'huile terre d'ombre naturelle
Bocal à confiture avec couvercle
White-spirit
Vieille cuillère
Pinceau rond
Papier absorbant
Laque polyuréthanne ou vernis à l'huile satiné

On trouve de vieilles chaises à des coûts très raisonnables. Ne craignez rien des trous de vers : les bains de décapant auront raison des petites bêtes ! Si le décapage a été fait à la main ou si vous apercevez les petits tas de sciure qui révèlent la présence de vers, traitez votre chaise avec un vermifuge adapté (à utiliser en plein air). Effectuez ensuite les réparations nécessaires (si les montants présentent du jeu, c'est le moment de les recoller).

Si vous ne disposez pas de chutes de tissu, il faudra en acheter un mètre environ. Le travail de tapissier vous coûtera bien plus que l'achat de la chaise nue, mais vous aurez la certitude de détenir une pièce unique, réalisée dans les couleurs que vous aurez précisément choisies.

La chaise présentée ici a été couverte d'une chaleureuse émulsion crème avant ponçage des arêtes et passage d'une couche de terre d'ombre naturelle diluée avec un peu de white-spirit pour lui donner un aspect plus ancien. Le vert sombre passé sur le dossier complète l'imitation de bambou tout en s'accordant au tissu choisi. Ne portez la chaise chez le tapissier qu'après avoir fini de la peindre.

Si votre chaise, en pin, en bouleau ou en orme, est suffisamment claire, vous vous contenterez de passer la première sous-couche d'acrylique blanche. Si au contraire elle semble très sombre, c'est probablement qu'il s'agit de bois teinté. Vous commencerez alors par une couche de gomme-laque pour éviter que la teinture ne remonte colorer votre décoration, ce qui arriverait fatalement quel que soit le nombre de couches passées.

1. S'il est nécessaire d'isoler le bois teinté, commencez par deux couches de gomme-laque. Laissez bien sécher après chaque application.

2. Retournez la chaise et passez une première sous-couche d'acrylique. Remettez la chaise sur ses pieds pour terminer la sous-couche. Laissez sécher avant de procéder de même pour la deuxième sous-couche.

3. Couvrez alors la chaise de deux couches d'émulsion crème.

4. Poncez les arêtes au papier de verre fin aux endroits les plus susceptibles de s'user par frottement.

5. Diluez la peinture verte avec un peu d'eau et peignez les anneaux sur les montants, à la brosse à tableau n° 3. Si les montants sont dépourvus de ces anneaux, installez de faux nœuds de bambou et procédez comme indiqué précédemment pour la table. Laissez sécher.

6. Il faut maintenant patiner la chaise. Déposez environ 3 cm de terre d'ombre naturelle dans le couvercle d'un bocal de confiture. Ajoutez un peu de white-spirit et mélangez bien. Versez dans le bocal et rajoutez environ deux cuillerées à soupe de white-spirit.

7. Passez ce mélange au pinceau rond. Commencez par l'arrière ou le dessous de la chaise, jusqu'à

ce que vous vous sentiez plus sûr de vous. Une couleur trop foncée masquera la peinture crème, une couleur trop claire se verra à peine. Ne vous faites pas trop de souci si votre mélange coule beaucoup. Laissez sécher 5 minutes environ – moins par temps chaud.

8. Essuyez votre mélange au papier absorbant. Laissez-en dans les petits creux ou éraflures, où il serait logique que la saleté se soit accumulée au fil des ans. Le degré de nettoyage à effectuer dépend de votre goût personnel. Vous pouvez choisir d'essuyer jusqu'à ce que le papier ne ramasse plus rien. Le mélange a de toutes façons déjà atténué la teinte de la peinture et vieilli votre chaise en lui

apportant une douce patine. Si par malheur vous n'avez pas remarqué certaines coulures, qui ont eu le temps de sécher, vous pouvez encore les retirer au white-spirit pur.

9. Laissez la chaise sécher toute une nuit, sans la toucher (vous laisseriez sur votre ouvrage des traces de doigts indélébiles).

10. Terminez par deux couches de vernis (à l'huile ou polyuréthanne satiné) en laissant bien sécher la première. Couvrez enfin votre chaise d'un joli tissu de votre choix.

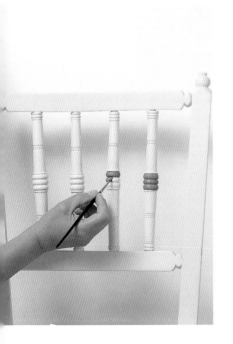

Lampe-trépied

Ce trépied, à l'origine un pied de lampe laqué fort laid, constitue le support idéal pour une transformation à la crème à dorer. Ce sont les boules de bois, traitées de manière à ressembler à des pierres dures, qui nous ont donné l'envie de travailler cette lampe. L'abat-jour, neuf, a été peint avec des couleurs rappelant celles du pied de lampe.

PIED DE LAMPE

Il vous faudra

Pied de lampe métallique
Vernis et vieux pinceau
Émulsion mate noire (ou bien tube d'acrylique noir ou gris foncé) et bleu vif
Petits pinceaux ou pinceaux ronds
Cire métallisée Libéron (Sceaux et Saint-Germain)

Chiffon doux
Sous-couche acrylique blanche ou émulsion blanche (mate ou satinée)
Tubes d'acrylique en blanc et marine
Couvercle de pot de confiture
Brosse à tableau n° 8

Ces pieds de lampes modernes mais démodés, faits d'un métal laqué, se trouvent couramment en salles des ventes (souvent compris dans des lots faits d'autres objets de peu d'intérêt). Qu'il s'agisse de lampes sur pied ou bien de plafonniers à plusieurs branches portant des « bougies » couvertes d'abat-jour de verre hideux, c'est surtout leur aspect brillant qui les rend repoussants. Le fait qu'ils soient en métal ouvre en revanche de nombreuses possibilités de transformations.

Il existe en effet aujourd'hui de nombreux produits permettant à l'amateur de réaliser de convaincantes imitations des matières les plus diverses, y compris le métal. Naguère réservés à ceux qui pouvaient s'offrir les services d'artisans spécialisés, ils se sont depuis lors bien démocratisés.

Ces artifices ne reproduiront bien sûr jamais la profondeur d'une vraie dorure à la feuille, mais l'effet sera néanmoins fort réussi.

Les cires métallisées sont idéales à cet égard. D'un emploi facile, elles se passent au pinceau en couche épaisse, comme sur cette lampe, ou bien s'emploient avec parcimonie en rehauts.

Votre pied de lampe étant probablement recouvert d'une couche d'antirouille, vous n'aurez pas besoin d'une première couche d'apprêt pour métal, mais il faudra cependant passer une sous-couche pour que les couches suivantes accrochent bien, car le métal est une matière particulièrement glissante, sur laquelle il est difficile de peindre proprement. C'est ici le rôle de la couche de blanc.

1. Nettoyez à fond en éliminant toute salissure, trace de poussière ou de graisse. Avec un vieux pinceau, passez une couche de cire blanche ou de gomme-laque, sans oublier les boules de bois. En raison de la fluidité de ces deux produits, il faudra veiller à éviter les coulures et les gouttes. Laissez sécher.

2. Passez une couche d'émulsion noire sur les parties métalliques, sans couvrir les boules de bois. Si vous utilisez de l'acrylique en tube, humectez très légèrement le pinceau et appliquez la peinture presque directement sortie du tube. Laissez sécher avant de passer une deuxième couche, qui apportera plus de densité à la couleur.

3. Après séchage, passez la crème Sceaux à l'aide d'un pinceau rond en suivant le sens des cannelures.

4. Une fois le fond sec au toucher, rehaussez les surfaces en relief à l'aide d'un peu de crème Saint-Germain. Laissez sécher puis lustrez au chiffon doux. Dans le cas présent, nous avons préféré omettre cette dernière opération.

5. Couvrez les boules de bois de deux couches d'apprêt acrylique blanc ou d'émulsion vinylique. Le blanc constitue le fond idéal pour bien faire ressortir le bleu vif.

6. Après séchage, passez deux couches de bleu vif puis laissez encore sécher.

7. Déposez environ 3 cm d'acrylique marine et d'acrylique blanche sur un couvercle ou toute autre palette. Humectez une brosse à tableau n° 8 puis prélevez un peu de bleu, passez-le sur une des boules en effectuant un mouvement ondulé remontant en diagonale par-dessus le bleu vif déjà appliqué. Sans nettoyer votre pinceau, reprenez un peu de bleu puis du blanc avant de répéter le même mouvement tout en tournant légèrement le pinceau sur lui-même (voir ci-dessous le travail de l'abat-jour). Couvrez ainsi les deux boules, en maintenant toujours le bleu légèrement humide afin que les deux couleurs se fondent légèrement, un peu comme les veines d'un marbre.

8. Lorsque le résultat vous satisfait, passez à l'autre boule puis laissez sécher.

9. Terminez en protégeant les boules d'une couche de cire blanche.

ABAT-JOUR

Il vous faudra

Règle
Crayon
Abat-jour
Pinceaux ronds
Vernis acrylique de décorateur
Émulsion mate bleu vif
Tubes d'acrylique en marine,
    blanc et gris
Couvercles de pot de confiture
Brosse à tableau n° 8
Pinceau à filets

Choisissez un abat-jour d'une taille suffisante pour s'accommoder d'un pied haut et mince comme celui-ci. Notre abat-jour est en fibres naturelles, ce qui signifie qu'il a fallu commencer par le couvrir de deux couches de vernis pour éviter que la peinture ne diffuse trop dans le papier.

1. Tracez une bande de 10 à 15 cm de large dans la partie inférieure de l'abat-jour. La taille

exacte de cette bande et la distance la séparant du bord inférieur dépendront bien sûr de votre modèle.

2. Couvrez cette bande de deux couches de vernis, en laissant bien sécher après chacune.

3. Couvrez avec l'émulsion bleue en prenant bien soin de ne pas déborder. Laissez sécher avant d'appliquer une seconde couche.

4. En procédant de la même manière que pour les boules de bois (voir étape 7, p. 34), disposez un peu de bleu et de

blanc sur un couvercle. Humectez légèrement la brosse n° 8 puis prélevez un peu de chaque couleur et faites tourner le pinceau sur lui-même tout en traçant des lignes ondulées. Vous devriez obtenir un effet analogue à celui des veines d'un marbre. Renouvelez l'opération jusqu'à avoir fait le tour de l'abat-jour.

5. Terminez avec un peu d'acrylique gris étain, passé sur les bords de la bande au pinceau fin. Cette opération vous permettra de recouvrir d'éventuelles bavures bleues

qui auraient pu déborder sur le reste de l'abat-jour.

Jardinière décorée

Il y a des siècles que l'on utilise les feuilles d'acanthe pour la composition de motifs décoratifs. Cette jardinière, objet de terre cuite très ordinaire, prend une toute autre allure une fois décorée de chaleureuses couleurs bronze auxquelles font écho les teintes sombres des plantes qu'elle contient.

Il vous faudra

Jardinière en terre cuite
Vernis ou cire blanche et pinceau
Émulsion mate brun sombre
Pinceau plat de 25 mm
Peinture métallisée bronze
Petit pinceau
Petit pinceau rond
Cire à patiner noire
Chiffon doux

Les feuilles d'acanthe font partie des décors d'époques très diverses. On les retrouve sur des supports aussi variés que plâtre, bois, pierre ou tapisserie. Vers la fin du XVIIIᵉ siècle, elles entrent dans la réalisation de frises et font leur apparition sur des papiers peints.

On s'en sert aujourd'hui encore pour la décoration de mobilier ancien, de plinthes, de cadres...

1. Assurez-vous que votre jardinière est propre et dépoussiérée. Passez une couche de vernis pour éliminer la porosité du support puis une deuxième si nécessaire, après séchage.

2. Peignez avec l'émulsion marron foncé, laissez sécher puis passez une deuxième couche si cela semble nécessaire.

3. Passez une couche de peinture métallisée, à l'aide d'un petit pinceau que vous tapoterez

contre le support de manière à ne pas laisser de traces de pinceau. Laissez bien sécher.

4. Passez enfin la cire à patiner, au pinceau rond. Procédez en tapotant surtout sur les endroits qui seraient naturellement plus sombres que les autres. Laissez la cire sécher avant de la frotter avec un chiffon doux, en insistant sur les reliefs. Si le résultat vous paraît trop clair, renouvelez l'opération.

Deux angelots

Les angelots sont depuis longtemps un sujet très apprécié en décoration d'intérieur. Si certains d'entre eux ont une allure austère qui sied à leur caractère religieux, d'autres ressemblent surtout à des bébés bien dodus. L'angelot doré présenté ici a été sculpté à la main dans de la pierre reconstituée, tandis que l'autre, passé à la crème à dorer, est un moulage de plâtre.

ANGELOT BRUNI

Il vous faudra

Vieille cuillère
Émulsion mate gris-bleu
Petit récipient de plastique
Papier absorbant
Petite brosse
Vernis (gomme-laque) dilué avec un volume égal d'alcool dénaturé

Crème Libéron Versailles
Chiffon doux

Les angelots, motif décoratif baroque très courant dans de nombreux bâtiments historiques, peuvent aussi bien s'intégrer à des ensembles que servir de thème central pour des panneaux décoratifs. Ils n'ont

rien perdu de leur attrait et figurent encore souvent dans des décorations modernes, sur des papiers peints comme sur des étoffes, des abat-jour, des cartes de vœux, des pochoirs ou des transferts pour découpage-application.

Les chérubins sont faits de matières aussi diverses que pierre, plâtre, résine, bois ou

même plastique. Ce modèle-ci est en plâtre. Son arrière, plat, permet de l'accrocher sur un mur.

Le plâtre neuf doit être humidifié avant d'être apprêté. Humidifiez-le au pinceau ou par immersion (la vitesse à laquelle le plâtre absorbe l'eau est toujours étonnante).

1. Versez un peu d'émulsion gris-bleu (ou toute autre couleur de votre choix) dans un récipient de plastique, puis diluez-la légèrement avec de l'eau.

2. Humidifiez votre support au pinceau. Après absorption de l'eau, saturez le support d'émulsion colorée. Une fois cette dernière absorbée, passez-en une nouvelle couche. Si la couleur ne vous semble pas assez dense, rajoutez un peu de peinture dans votre mélange.

3. Avant séchage complet, frottez au papier absorbant les surfaces en relief pour leur donner un aspect légèrement vieilli.

4. Alors que votre plâtre est encore humide, passez un peu de vernis gomme-laque dilué avec une brosse que vous tapoterez sur tous les endroits difficiles d'accès (vous éviterez ainsi de laisser des traces de pinceau). Ce vernis étant très soluble à l'eau, la surface poreuse de votre plâtre encore humide va en absorber une bonne quantité et vous donner un beau fini mat.

5. Laissez sécher de 10 à 15 minutes.

6. Passez la crème à dorer sur les surfaces que vous souhaitez rehausser. Travaillez au papier absorbant ou au

pinceau. Attendez quelques minutes avant de frotter au chiffon doux.

Angelot doré

Il vous faudra

Angelot en pierre
Petits pinceaux
Émulsion turquoise mate ou satinée
Assiette à dorer acrylique et petit

pinceau
Feuilles d'or à transfert
Brosse douce
Laque à l'huile en chêne moyen ou vernis gomme-laque dilué à volume égal d'alcool dénaturé (prévoir aussi un vieux pinceau)

Cet angelot assis est une variante exécutée à partir d'un modèle dessiné par Carpeaux pour l'Opéra de Paris. On applique le plus souvent la feuille d'or sur un fond terre-cuite, mais nous avons ici préféré l'originalité d'un fond légèrement bleuté. La surface de ce chérubin est très irrégulière, aussi est-il important d'apporter le plus

grand soin au nettoyage, à la peinture et à la dorure des recoins difficiles d'accès.

1. Nettoyez bien votre sculpture puis peignez-la soigneusement en turquoise, au pinceau fin. N'oubliez pas les petits renfoncements. Laissez sécher avant de passer la seconde couche.

2. Couvrez d'assiette à dorer, en prenant bien soin aux renfoncements. Laissez sécher 15 minutes au moins. L'apprêt doit être collant au toucher.

3. Prenez une feuille d'or à transfert et étalez-la délicatement sur les zones apprêtées en

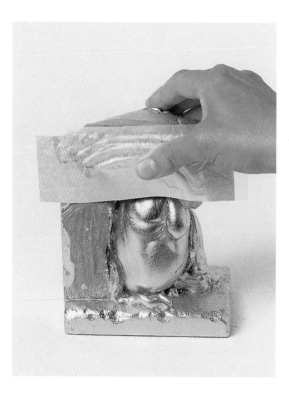

lissant du doigt. Une fois l'or transféré sur l'apprêt, retirez le papier-support.

4. Lissez délicatement l'or avec un pinceau souple. Il sera peut-être nécessaire de tapoter de la pointe du pinceau dans les renfoncements.

5. Continuez ainsi jusqu'à avoir recouvert l'angelot. La couleur de fond se verra forcément par endroits, ce qui contribuera à donner à votre objet un élégant aspect vieilli.

6. Laissez sécher au moins 24 heures avant de passer à l'étape suivante.

7. Il faut maintenant parfaire la patine en couvrant votre chérubin d'une couche de laque « transparente » en chêne moyen. Vous pouvez aussi choisir de passer une couche de cire blanche ou de vernis dilué d'alcool dénaturé.

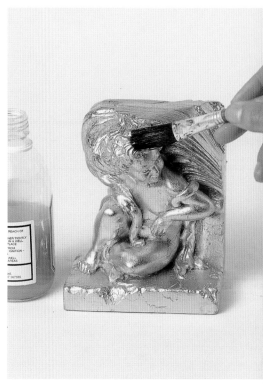

« terre-cuite » en procédant comme pour les étapes 1 à 3 de la page 38.

Une fois le plâtre complètement sec, couvrez-le d'apprêt à dorer. Laissez sécher au moins 15 minutes. (l'apprêt doit être collant au toucher), puis appliquez la feuille d'or comme précédemment.

Travaillez les endroits difficiles d'accès en y appliquant au pinceau de la poudre dorée ou bronze. Portez un masque pour ne pas inhaler cette poudre très fine. Terminez par une couche de cire blanche ou de vernis gomme-laque dilué avec de l'alcool dénaturé.

CHÉRUBIN DE PLÂTRE « TERRE-CUITE »

Une figurine de plâtre peut aussi être couverte d'une couleur

Récipients à pot-pourri

Les récipients et petites boîtes indiennes sculptées proposés ici sont très adaptés à la présentation de ces délicieux mélanges parfumés que sont les pots-pourris. Ils permettent aussi de faire la démonstration de la remarquable qualité des crèmes à dorer aujourd'hui disponibles.

1. Dépoussiérez puis couvrez de vernis gomme-laque que vous passerez avec un vieux pinceau. Laissez sécher.

2. Passez la crème Rambouillet au pinceau de soies sur le couvercle et l'extérieur de la boîte, en travaillant toujours dans le même sens. Laissez sécher.

BOÎTE RONDE
AVEC SON COUVERCLE

Il vous faudra

Boîte ronde avec couvercle ouvragé
Vernis (gomme-laque) et vieux pinceau
Petit pinceau de soies naturelles
Cire Libéron (Rambouillet et Sceaux)
Chiffon doux

Les trois réalisations décrites ici ne présentent qu'une toute petite partie des multiples possibilités offertes par le mariage des émulsions et des cires métalliques. La méthode est la même dans tous les cas : le bois est d'abord couvert d'un vernis destiné à isoler la peinture ou la cire de la teinture qui l'imprègne. On passe ensuite une émulsion ou une crème à dorer avant de lustrer au chiffon doux.

3. Si vous le souhaitez, rehaussez certains endroits avec la crème Sceaux, d'une teinte plus claire. Après séchage, polissez au chiffon doux.

POT MAUVE AVEC COUVERCLE

Il vous faudra

Pot en plastique
Petit pinceau
Émulsion mate mauve
Petit pinceau de soies
Crème Libéron Saint-Germain
Chiffon doux

1. Travaillez sur un pot propre et sec. Peignez-le en mauve (intérieur et extérieur) puis laissez sécher. Passez une seconde couche pour obtenir une couleur dense. Laissez sécher.

2. Passez la crème au pinceau de soies, en rehaussant les zones en relief. Laissez sécher puis polissez au chiffon doux pour obtenir un reflet métallique.

BOÎTE CARRÉE OUVRAGÉE

Il vous faudra

Boîte carrée ouvragée (voir ci-contre)
Vernis (gomme-laque) et vieux pinceau
Petit pinceau
Émulsion mate vert jade
Petit pinceau de soies
Crèmes Libéron (Versailles et Rambouillet)
Chiffon doux

1. Dépoussiérez la boîte puis couvrez-la d'une couche de vernis passée avec un vieux pinceau. Laissez sécher.

2. Peignez toute la surface de la boîte en vert jade, en n'omettant pas les renfoncements. Laissez sécher.

3. Passez la crème Versailles en la tapotant de la pointe d'un petit pinceau de soies. Ne pas en mettre dans les trous de manière à y laisser voir le vert. Laissez sécher.

4. Frottez au chiffon doux pour retirer un peu de couleur sur les arêtes de la boîte, avant d'y passer un peu de crème Rambouillet pour les rehausser. Laissez sécher, puis lustrez au chiffon doux.

Rénovations
en une matinée

Vous trouverez dans ce chapitre une grande diversité de projets ne demandant pas plus d'une matinée de travail. Le placard nécessite une préparation préalable. Si vous voulez des craquelures sur le plateau (une réalisation rapide), il faudra lui consacrer quelques minutes supplémentaires pendant les deux jours suivants : l'effort sera largement récompensé. Les coussins de soie exigent une matinée de travail chacun, à moins que vous n'excelliez dans le domaine de la couture !

Petite armoire

Une vieille armoire bien décapée pour laisser voir le grain pâle de son chêne a été redécorée par l'apport d'une corniche, de moulures puis d'une peinture café-au-lait. Le tout a ensuite été vieilli.

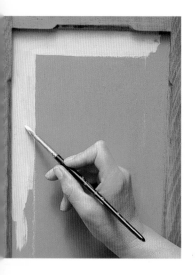  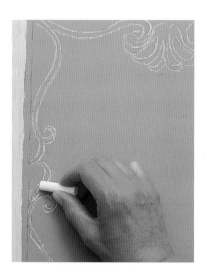 

Il vous faudra

Petite armoire, décapée, poncée et apprêtée
Vernis (gomme-laque) et vieux pinceau
Émulsion mate brun clair, crème et blanc (facultatif)
Pinceaux plats de 25 mm
Règle plate
Craie blanche
Brosses à tableau
Moulure et colle à bois (facultatif)
Papier-calque
Crayon
Feutre noir
Adhésif de masquage repositionnable
Pinceau à filets
Tubes d'acrylique terre d'ombre naturelle et blanc (facultatif)

Couvercle (ou toute autre « palette »)
Papier absorbant
Sous-couche acrylique blanche
Émulsion blanche satinée ou vernis acrylique
Tube de peinture à l'huile terre d'ombre naturelle
Pot à confiture avec couvercle
White-spirit
Vieille cuillère
Cire d'abeille incolore
Chiffon doux
Vernis à l'huile ou polyuréthanne semi-mat
Papier de verre très fin (00)

Cette petite armoire achetée dans une salle des ventes a été décapée pour en retirer des traces de vernis et autres taches. Les dernières taches ont été retirées à la ponceuse électrique. On a ainsi révélé la jolie teinte du chêne du cadre et des pieds. Les panneaux des côtés et des portes étaient en contre-plaqué d'une teinte évoquant celle du noyer. L'ajout d'une corniche et de moulures ont complété le style « français » de ce meuble.

Puisqu'il n'était pas possible d'accorder la couleur du cadre et celle des panneaux, nous avons décidé de peindre la corniche de la même couleur que les panneaux. La couleur

du bois a été déterminante dans le choix d'une harmonie colorée en deux tons évoquant le lin et la dentelle. Ces couleurs café-au-lait ont également pesé sur le choix d'un motif à simples volutes plutôt que floral. Quelques ombres peintes apportent la profondeur d'un trompe-l'œil, effet de profondeur renforcé par la présence de la corniche. L'extérieur a été vieilli et l'intérieur simplement peint en blanc. Le cadre de chêne a finalement été lustré à la cire pour lui apporter tout le soyeux d'une vieille patine. L'armoire était toutefois très agréable à regarder avant le traitement vieillissant, qui atténue un peu

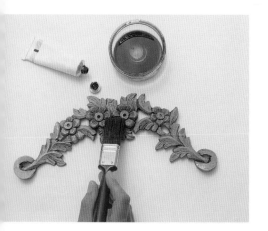
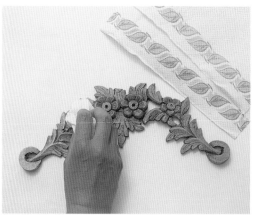

le contour des volutes. Si vous le préférez, évitez donc le traitement vieillissant et contentez-vous du passage d'un vernis ou de deux ou trois couches de cire passées directement sur la peinture après un jour ou deux de séchage.

1. Passez deux couches de vernis sur les panneaux de contre-plaqué, en laissant bien sécher après chacune. Le vernis empêchera la teinture du bois de remonter tacher la peinture passée par-dessus, ce qui arriverait fatalement, quel que soit le nombre de couches de peinture.

2. Après séchage, passez les panneaux et la corniche à l'émulsion brun clair, en prenant garde de ne pas déborder sur le cadre de chêne. Il vous faudra au moins deux couches pour bien recouvrir le contre-plaqué. Laissez sécher.

3. Déterminez la largeur de la bordure crème en fonction de la taille des panneaux. Tracez-en le contour avec la craie et la règle plate.

4. Couvrez la bordure ainsi déterminée de 2 ou 3 couches d'émulsion crème (voir image p. 46). Peignez aussi les moulures si vous en avez. Laissez sécher.

5. Placez votre papier-calque contre le panneau de la porte. Reportez sur le papier les bords extérieurs et les angles du panneau peint en brun clair. Retirez le papier puis, à l'intérieur du cadre ainsi défini, dessinez une bordure étroite ainsi qu'une volute. Recommencez jusqu'à être satisfait de votre résultat. Si les traits de crayon ne sont pas assez marqués, repassez-les au feutre noir.

6. Retournez le calque et repassez au crayon l'envers de votre dessin. Retournez derechef le calque puis fixez-le sur la porte à l'aide d'adhésif de masquage. Repassez au crayon sur le motif, afin de transférer le dessin du verso sur le panneau (voir image p. 46). Vérifiez régulièrement que le transfert se fait correctement.

7. Retirez le calque et conservez-le pour les panneaux latéraux,

même s'il faudra peut-être y apporter quelques modifications. Si vous le souhaitez, repassez les traits de crayon à la craie (voir p. 46).

8. Commencez à peindre la bordure étroite destinée au trompe-l'œil de la moulure. Les lignes droites sont obtenues en peignant avec un pinceau à filets, dont la longueur des poils assure une meilleure charge en peinture qu'avec une brosse à tableau ordinaire. Déposez un peu d'acrylique terre d'ombre naturelle sur un couvercle puis délayez très légèrement à l'eau en mélangeant avec une brosse à tableau. Éliminez autant de peinture que possible du pinceau (pour ne pas en gaspiller), puis chargez le pinceau à filets.

9. Mettez l'armoire à plat. Installez-vous confortablement et, en reposant votre petit doigt contre l'arête ou le plat du panneau, disposez le pinceau sur le trait tracé à l'intérieur du « cadre » peint en crème. Tirez le pinceau vers vous en le couchant de façon que les poils soient allongés sur le support

presque jusqu'à la virole. Lorsque vous commencez à manquer de peinture, soulevez délicatement votre pinceau pour le recharger puis replacez-le sur la ligne et recommencez jusqu'à atteindre l'angle du panneau. Déplacez-vous autour de l'armoire pour peindre les autres côtés du cadre. Si vous travaillez salement, gardez un peu de papier absorbant à portée de main pour effacer vos erreurs, séchez et recommencez.

10. Peignez une autre ligne (en terre d'ombre) à l'intérieur de la première pour créer l'illusion d'une moulure en trois dimensions. Le côté gauche du panneau de devant étant plus sombre (voir image principale), créez une ombre entre ces deux lignes avec un peu de terre d'ombre légèrement diluée. Rehaussez le côté droit de ces « moulures » d'un peu d'émulsion crème légèrement diluée.

11. Peignez soigneusement la zone comprise entre la bordure et les volutes avec une émulsion crème ou blanche ou bien encore avec le blanc du tube d'acrylique.

12. Peignez le motif de volutes en crème. Passez deux ou trois couches, jusqu'à ce que le dessin ressorte bien du fond. Après séchage, rehaussez en terre d'ombre naturelle, comme précédemment, pour donner une impression de volume : peignez le bord externe de la volute de gauche (voir p. 46) ainsi que le bord supérieur de la volute du bas. Appliquez un peu de terre d'ombre sur le bord interne des volutes du côté droit.

13. Une fois les portes ainsi peintes, procédez de même pour les panneaux latéraux.

14. Profitez de ce que la peinture de l'extérieur est en train de sécher pour passer une sous-couche de blanc à l'intérieur du meuble. Laissez sécher puis passez soit une seconde sous-couche, soit une couche d'émulsion blanche. Terminez par une couche de peinture vinylique satinée blanche ou de vernis pour protéger votre peinture. Laissez sécher avant de passer la seconde couche de blanc.

15. Une fois la peinture bien sèche, il faut vieillir l'extérieur du meuble. Déposez environ 3 cm de terre d'ombre à l'huile sur un couvercle. Ajoutez un peu de white-spirit et mélangez. Transférez ce mélange dans le

bocal, ajoutez deux ou trois cuillerées de white-spirit et mélangez bien.

16. Commencez par vous exercer sur un panneau latéral. Peignez de bas en haut, toujours dans le sens du bois. Évitez que trop de liquide ne coule sur le bois qui n'est pas encore peint, en tenant un papier absorbant sous votre pinceau. Attendez 5 minutes puis commencez à retirer un peu du liquide coloré en frottant avec du papier absorbant. Commencez par les zones les plus claires et travaillez ainsi jusqu'à ce que votre papier ne ramasse presque plus rien. La teinte brune de votre liquide aura déjà bien atténué l'allure rénovée de votre meuble, adoucissant la couleur tout en s'accumulant dans les petits creux du bois, où il serait logique que la poussière s'incruste au fil des ans.

17. Procédez de même pour les panneaux restant ainsi que les moulures (voir page ci-contre), en retirant le liquide des parties supérieures des moulures. Laissez sécher toute une nuit sans toucher votre meuble pour ne pas y laisser de traces de doigts.

18. Collez la moulure sur la corniche (voir page ci-contre) et maintenez en place toute une nuit pendant que la colle sèche.

19. Passez une généreuse couche de cire d'abeille sur les panneaux ; attendez 10-15 minutes avant de lustrer au chiffon doux. Si vous préférez, passez une couche de vernis polyuréthanne ou à l'huile, à laisser sécher au moins deux jours si vous voulez cirer par-dessus.

20. Pour terminer, passez une généreuse couche de cire d'abeille sur le bois non peint. Laissez sécher 10-15 minutes. Faites pénétrer la cire dans le bois en frottant dans le sens du

fil avec une feuille de papier de verre ou de toile émeri très fine. Cirez une nouvelle fois, laissez sécher puis lustrez au chiffon doux.

Pied de lampe « chandelier »

La couleur crème passée sur ce pied de lampe lui confère une élégance surannée qui se fondrait bien dans tout décor d'époque. Le piétement a été peint couleur « petit-lait » et vieil or avant de recevoir une finition craquelée. L'abat-jour, lui, a été transfiguré par l'apport d'une vieille dentelle de Malte.

Il vous faudra

Pied de lampe en médium ou bois tendre

Sous-couche acrylique blanche

Pinceaux plats de 25 mm

Papier de verre fin

Émulsion crème mate

Bocaux à confiture avec couvercle

Tubes d'acrylique terre d'ombre naturelle et or

Brosse à tableau n° 4 ou 5

Papier absorbant

Vernis à craqueler en deux étapes

Liquide vaisselle

Sèche-cheveux

Tube de peinture à l'huile terre d'ombre

White-spirit

Vernis à l'huile ou polyuréthanne satiné

Abat-jour en carton crème

Dentelle

Colle à tissu

Adhésif de masquage repositionnable

Le pied de lampe utilisé ici, en forme de bougeoir, est un modèle en médium acheté par correspondance. Le corps en a été peint en émulsion crème et les moulures en vieil or (obtenu en mélangeant deux acryliques en tube). La finition craquelée donne du caractère à cette lampe, caractère renforcé par un vieillissement effectué à l'aide d'un mélange liquide coloré. Le tout a alors été verni.

Les abat-jour en carton imitant l'aspect du parchemin ne sont pas difficiles à trouver. La dentelle a été collée sur l'abat-jour.

1. Passez une sous-couche acrylique blanche en évitant de peindre le cordon électrique. Laissez sécher.

2. Après séchage, la surface sera sans doute légèrement rugueuse. Si tel est le cas,

poncez légèrement au papier de verre fin en faisant bien attention aux moulures. Vous devez arriver à un résultat bien lisse au toucher.

3. Passez une seconde sous-couche blanche et laissez sécher.

4. Couvrez de deux couches d'émulsion crème en laissant bien sécher après chacune.

5. Versez un peu d'eau dans un bocal de confiture puis déposez un peu de peinture terre d'ombre et autant d'or sur un couvercle. Mélangez partiellement au pinceau avec un peu d'eau, pour obtenir la consistance adéquate.
6. Passez ce mélange sur les

moulures avec une brosse à tableau n° 4 ou 5. Utilisez un mélange plus riche en terre d'ombre pour la première couche puis ajoutez progressivement un peu d'or jusqu'à obtention d'une couleur satisfaisante. Travaillez toujours dans le même sens. Il faudra probablement trois couches avant de bien effacer les traces de pinceau. Laissez chaque couche sécher une dizaine de minutes avant de passer la suivante. Gardez du papier absorbant à portée de main pour effacer tout débordement.

7. Passez maintenant le vernis à craqueler. À l'aide d'un pinceau propre, étalez une couche de vernis mince et régulière, à

laisser sécher au moins six heures, jusqu'à ce qu'elle soit légèrement collante, ou mieux encore une nuit entière, jusqu'à ce qu'elle soit bien sèche. Plus le vernis est sec et plus les craquelures seront fines.

8. Toujours au pinceau, passez une mince couche de vernis à l'eau. Vous verrez apparaître de nombreuses petites bulles et traces de pinceau que vous éliminerez en frottant délicatement du bout des doigts. Cette opération améliorera par ailleurs l'adhérence du vernis avant séchage complet. Tenez alors la lampe sous un éclairage rasant pour tenter d'y repérer d'éventuelles irrégularités. Si vous apercevez encore des

traces de pinceau, trempez un doigt dans du liquide vaisselle et frottez délicatement avant que le vernis ne soit complètement sec. Laissez sécher au moins une heure, toute une nuit si possible.

9. Chauffez légèrement la surface vernie au sèche-cheveux (attention : trop de chaleur créerait des cloques). Travaillez avec soin, patience et régularité. Vous verrez petit à petit apparaître les craquelures à la surface.

10. Pour vieillir les craquelures, mélangez un peu de terre d'ombre naturelle à l'huile avec un peu de white-spirit, puis faites pénétrer ce mélange dans la surface craquelée

en le passant au pinceau fin ou
au papier absorbant.

11. Une fois toute la surface
couverte, essuyez en frottant
avec un papier absorbant en
effectuant des mouvements
circulaires. Continuez jusqu'à ce
que le papier ne ramasse
presque plus de peinture, le
mélange aura alors pénétré dans
le réseau de fissures du vernis.
Laissez sécher une nuit.

12. Le vernis à craqueler étant
soluble à l'eau, il faut le protéger
d'une couche de vernis à l'huile,
ce qui atténuera en outre le
brillant excessif que prend ce
premier vernis après séchage.

13. Terminez la lampe en y
fixant un abat-jour en carton que
vous couvrirez d'une vieille
dentelle collée au revers de
l'abat-jour. Pendant le séchage
de la colle, maintenez la dentelle
en place avec un adhésif de
masquage. Le résultat sera plus
joli avec une dentelle festonnée.

Boîte à bijoux et miroir à main

Cette boîte un peu miteuse a été couverte d'une peinture d'un violet profond passée sur un motif à la feuille d'argent. Elle se marie fort bien avec un miroir à main de style années trente, décoré de la même manière mais avec en sus un apport de roses par découpage-application.

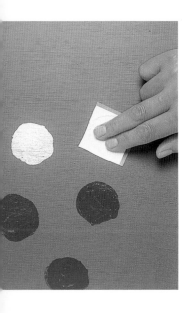   

BOÎTE À BIJOUX

Il vous faudra

Une boîte en bois
Vernis (gomme-laque) et vieux
 pinceau
Petits pinceaux
Émulsion noire ou gris foncé mate et
 violette
Bocal à confiture
Stylo à bille
Assiette à dorer acrylique et petit
 pinceau
Feuilles transfert de papier argent ou
 aluminium

Petite brosse douce
Cire blanche
Vieille cuillère
Colle PVA
Boîte en plastique avec
 couvercle
Tube d'acrylique gris de Payne
Gants fins
Petite éponge naturelle
Papier absorbant

1. Couvrez votre boîte de vernis, à l'intérieur et l'extérieur. Laissez sécher. Si le bois était teinté très sombre, passez une seconde couche de vernis. Laissez sécher.

2. À l'aide d'un petit pinceau, couvrez la boîte de deux couches d'émulsion noire ou gris foncé en laissant bien sécher après chacune. Procédez de même pour l'intérieur de la boîte en tenant le couvercle ouvert pendant le séchage.

3. Dans un bocal, mélangez un peu d'émulsion violette avec une petite quantité de peinture noire ou grise jusqu'à obtenir la couleur désirée. Passez deux couches de ce mélange sur la

boîte en laissant bien sécher après chacune.

4. Sur l'extérieur et le couvercle, dessinez des cercles approximatifs au stylo à bille. Ne vous souciez pas de leur forme exacte, ils ne sont là que pour matérialiser l'emplacement des taches de lumière et seront partiellement recouverts à l'éponge.

5. Passez l'assiette à dorer à l'intérieur de quelques-uns de ces cercles. Laissez sécher une

quinzaine de minutes, jusqu'à ce que ce soit collant au toucher.

6. Placez sur le premier de vos cercles une feuille d'aluminium ou d'argent – pour ne pas gaspiller, commencez par découper votre feuille en carrés ou bien travaillez progressivement en partant d'un angle. Lissez du plat du doigt puis retirez le papier support. Procédez de même pour les autres cercles déjà apprêtés. Conservez les chutes de papier métallisé, elles serviront toujours par la suite. Une fois le premier groupe de cercles ainsi décoré, égalisez les bords en frottant à la brosse douce. Procédez de même pour les cercles restants. Attendez une heure ou deux que l'assiette à dorer sèche bien, puis passez une couche protectrice de cire blanche. Laissez sécher.

7. Avec une vieille cuillère, prélevez des quantités égales de peinture violette et de colle PVA,

que vous mélangerez ensuite dans la boîte en plastique avec quatre fois le même volume d'eau, pour obtenir un glacis. Utilisez le couvercle de la boîte comme une palette sur laquelle vous déposerez une petite quantité d'acrylique gris de Payne.

8. Mettez vos gants, trempez l'éponge dans l'eau puis pressez-la pour l'essorer légèrement. Trempez une partie de l'éponge dans le glacis et commencez à peindre l'extérieur de la boîte. Vous vous efforcerez d'obtenir des traces d'éponge plus « serrées » que celles que vous feriez sur un mur. Retrempez de temps à autre l'éponge dans le glacis puis dans le gris de Payne. Passez soigneusement entre les cercles en débordant légèrement.

9. Laissez sécher en maintenant le couvercle ouvert. Si le résultat vous paraît un peu pâle,

repassez une nouvelle couche à l'éponge en rajoutant un peu de gris et de violet directement sortis du tube, mais toujours en trempant préalablement votre éponge dans le glacis. Lavez bien l'éponge à l'eau chaude après usage, sinon la colle la rendra dure comme pierre.

10. Après séchage, ouvrez complètement la boîte pour appliquer les feuilles métallisées sur les arêtes. Dessinez une frise simple pour l'arête extérieure supérieure et l'écusson. Dessinez directement au stylo sur votre support puis passez l'intérieur de la frise à l'assiette à dorer. Travaillez avec méticulosité, car le transfert collera aussi sur tous les éventuels débordements.

11. Découpez de grandes bandes de transfert à apposer sur l'assiette à dorer ; retirez le papier support une fois que le métal aura collé partout.

12. Passez une brosse douce pour retirer les débordements qui se chevauchent, puis passez à la bande suivante en la faisant légèrement chevaucher la première.

13. Après séchage complet, protégez d'une couche de cire blanche ou de vernis.

Miroir à main

Il vous faudra

Miroir à main à cadre en bois
Adhésif de masquage
*   repositionnable*
Vernis (gomme-laque) et vieux
*   pinceau*
Émulsion noire ou gris foncé
*   mate et violette*
Petits pinceaux
Bocal
Papier-calque
Crayon

Stylo bille

Assiette à dorer acrylique et petit
pinceau

Transfert argent ou aluminium

Petite brosse douce

Cire blanche

Petits ciseaux pointus

Papier cadeau à motif floral de
bonne qualité

Adhésif repositionnable

Craie

Petite brosse à encoller

Colle pour papier peint lourd

Cutter

Papier absorbant

Petite éponge

Chiffon imbibé d'huile de lin

Laque acrylique ou vernis à bois
de bonne qualité

La gamme des motifs possibles
pour ce décor est immense : si
les roses ne vous conviennent
pas, pourquoi ne pas essayer
papillons, oiseaux, d'autres fleurs
ou même une photo qui vous
est chère et que vous aurez
photocopiée ?

1. Protégez le verre du miroir
avec de l'adhésif de masquage
puis couvrez le cadre de vernis
gomme-laque et d'émulsion en
procédant comme pour les
étapes 1 à 3 de la boîte à bijoux
(p. 54). Il sera peut-être
nécessaire de passer une
troisième couche de violet
préalablement assombri.

2. Dessinez de jolies volutes
pour le dos du miroir puis
reproduisez-les sur un papier-
calque en les positionnant en

ovale ou toute autre forme de
votre choix. Retournez le papier-
calque et repassez au crayon sur
les contours. Retournez derechef
puis placez-le sur le dos du
miroir avant de passer à
nouveau sur les contours au
crayon afin de transférer votre
motif sur le bois. Procédez de
même pour la poignée
(choisissez un motif accordé à
celui de l'écusson de la boîte à
bijoux). Dessinez enfin au stylo à
bille les contours ainsi reportés.

3. Passez l'assiette à dorer en
prenant les mêmes précautions
que pour la boîte à bijoux.

4. Découpez et appliquez le
transfert métallique en suivant la
procédure des étapes 11 et 12
de la boîte à bijoux.

5. Après séchage, protégez d'une
couche de cire blanche ou de
vernis et laissez sécher.

6. Pour le découpage-application,
découpez environ huit roses et
autant de boutons sur votre
papier d'emballage. Ajoutez
quelques feuilles. Pour la
technique du découpage-
application, voir page 84.

7. Disposez vos fleurs à l'intérieur
des volutes puis fixez-les
temporairement avec de l'adhésif
repositionnable, à retirer à
mesure que vous
progresserez.

Vous pouvez aussi tracer le
contour de vos fleurs à la craie,
ce qui vous aidera à les remettre
à la place choisie après les avoir
encollées.

8. Choisissez un découpage,
encollez-le sur l'envers en
partant du centre puis soulevez-
le de votre plan de travail, de la
pointe d'un cutter si nécessaire.
Installez-le maintenant à
l'intérieur du contour tracé à la
craie si vous avez choisi ce
système. Lissez en partant du
centre pour chasser excédents
de colle et bulles d'air. Appuyez
bien sur les bords et nettoyez au
papier absorbant humide.
Procédez de même pour les
autres fleurs découpées. Après
séchage, nettoyez encore une
fois au papier absorbant ou à
l'éponge humide, en prenant
soin de ne pas endommager le
motif.

9. Essuyez avec un
chiffon imbibé
d'huile de lin
avant de
protéger
d'une
couche
de
laque

acrylique utilisable sur papier
collé – ou de vernis à bois de
qualité. La cire blanche, mélange
à base d'huile, tolère les deux
produits. Passez encore une ou
deux couches protectrices en
respectant bien les instructions
de séchage du fabricant.

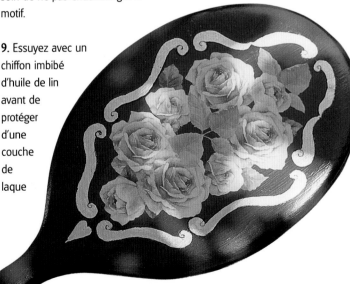

Coussins de soie exotiques

La richesse des couleurs de ces coussins de soie ne peut qu'évoquer les voyages vers des horizons lointains chargés des senteurs d'épices exotiques. En les mariant à des tapis faits à la main, à des objets ouvragés de bois et de métal, vous obtiendrez un dépaysement assuré.

COUSSIN CARRÉ À VOLANT

Il vous faudra

Carré de soie pourpre de 22 cm de côté pour le devant (facultatif) plus 4 bandes de tissu (15 cm sur 120 ou 140) pour le volant
Mètre ruban
Fer à repasser
Épingles, dont une longue à tête en perle
Machine à coudre
Carré de soie rose (35 cm de côté) pour le devant du coussin, plus un rectangle de 55 x 35 cm pour le dos
Ciseaux
Fil et aiguille
Coussin de mousse carré de 32 à 35 cm de côté

Ces coussins sont pour les amateurs des reflets soyeux qui renvoient la lumière et mettent en valeur la douceur des plis, courbes et volants. Faites votre choix dans la gamme des coloris indiens disponibles : chacun d'eux sera du plus bel effet dans n'importe quelle pièce. Le rouge, couleur de l'amour et du feu, attire immanquablement le regard. La pourpre est une vraie couleur royale. Le rose et l'orangé utilisés ici sont spectaculaires, mais l'effet le plus percutant est peut-être dû à l'or sur lequel toutes ces teintes se détachent. Les bandes ne figureraient jamais dans un vrai motif indien, elles n'ont été ajoutées que pour apporter une touche plus « flashante ».

Un mètre de soie suffit amplement pour la confection de deux coussins. Conservez les chutes, elles serviront pour faire des volants et des bordures.

Les coussins indiens sont souvent munis d'une ouverture à rabat, ce qui permet d'en sortir aisément le rembourrage. Une fermeture à glissière donnera cependant à vos coussins une allure plus compacte et professionnelle. Il est également possible de coudre à la main (plutôt qu'à la machine) un des côtés, ce qui permet de défaire plus facilement la housse si vous voulez la nettoyer.

Si vous choisissez une fermeture à glissière, le plus simple est de la coudre dans le dos de la housse (voir conseils page suivante) plutôt que de se hasarder à coudre ensemble une soie qui risque de se déchirer, un volant et une fermeture.

1. Si vous souhaitez un carré central pourpre, commencez par en retourner les bords sur 2 cm puis repassez ces ourlets. Épinglez puis piquez à la machine au centre du carré rose, les deux endroits sur le dessus.

2. Pour réaliser l'ouverture dans le dos, coupez en deux le rectangle de soie rose de manière à obtenir deux pièces de 27,5 x 35 cm. Retournez sur 2,5 cm les deux côtés que vous venez de découper, repassez puis cousez.

3. Mettez les deux envers face à vous et les bords ourlés du même côté. Superposez avec un débord de 15 cm. Épinglez les deux pièces ensemble puis piquez le long des deux côtés de la pièce carrée ainsi obtenue pour tenir le rabat en place.

4. Pour la confection du volant, épinglez puis cousez bout à bout à la machine les quatre bandes violettes en veillant à toujours coudre les endroits ensemble. Cousez les deux extrémités ensemble puis aplatissez les coutures. Pliez en deux envers contre envers et repassez.

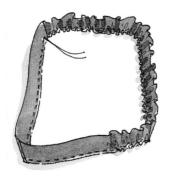

5. Prenez une grande longueur de fil que vous doublerez. Commencez par bien fixer le fil à l'un des « angles », puis cousez sur la longueur à grands points (voir étape 5 de la rosette p. 18).

6. Tirez sur le tissu pour le plisser en un volant qui s'adaptera autour du coussin. Bloquez temporairement le fil en le nouant en « 8 » autour de l'épingle à grosse tête que vous planterez dans le tissu.

7. Épinglez le volant sur l'endroit du devant du coussin puis fixez les coins à l'aide d'épingles piquées à l'écart de la ligne de couture pour éviter de casser l'aiguille de votre machine. Veillez à la régularité des plis. Vous aurez encore la possibilité de corriger le plissement à mesure que vous piquerez à la machine. (Vous pouvez aussi commencer par faufiler le volant sur le coussin.)

8. Endroit contre endroit, épinglez l'arrière du coussin sur le carré bordé du volant. Piquez ensuite à la machine à 2 cm du bord, en retirant les épingles et

en réajustant le volant au fur et à mesure. Travaillez lentement et méticuleusement. Quand le résultat est assuré, cousez une deuxième fois à la machine.

9. Coupez le tissu qui s'effiloche puis retournez sur l'endroit. Glissez le coussin dans l'enveloppe ainsi formée en le pliant en deux pour plus de facilité.

Fermeture à glissière

Si pour refermer votre housse vous choisissez une fermeture à glissière plutôt qu'une fermeture à rabat, cela vous demandera moins de tissu (seulement 42 x 37 cm) ; il vous faudra une fermeture de 40 cm.

Les instructions ci-après s'appliquent à la couture d'une fermeture sur n'importe quel autre coussin − seules les mesures diffèrent.

1. Découpez le rectangle de tissu sur la longueur de manière à obtenir deux pièces, l'une de 33 cm de large et l'autre de 9 cm.

2. Pliez les deux bords découpés sur 2,5 cm puis repassez-les. Épinglez puis faufilez la fermeture entre ces deux côtés en laissant dépasser une extrémité d'environ 4 cm. Cousez à la machine.

3. Ouvrez l'extrémité qui dépasse sur environ 2,5 cm puis taillez chaque côté en biseau pour obtenir une bonne prise lorsque vous installerez le curseur sur les

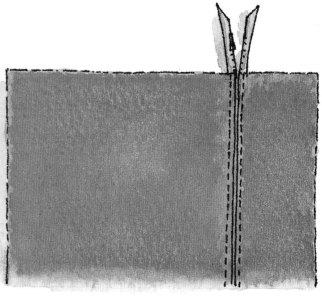

« dents ». Insérez les dents dans le curseur puis faites-le glisser jusqu'à environ 2,5 cm à l'intérieur du carré de tissu. Découpez la fermeture pour l'aligner sur le bord de la housse, que vous terminerez comme indiqué précédemment.

COUSSIN RAYÉ VIOLET ET OR

Il vous faudra

Une bande de soie violette de
56 x 7,5 cm pour la rayure
Une bande de soie or
de 56 x 7,5 cm pour l'autre
rayure plus deux
de 51 x 15 cm et deux
de 41 x 15 cm pour le tour
du coussin
Mètre ruban
Fer à repasser
Rectangle de soie rose
de 46 x 36 cm pour
le devant de l'enveloppe
plus un de 46 x 41 cm
pour le dos
Épingles
Machine à coudre
Ciseaux
Fil et aiguille

Fermeture à glissière
de 51 cm
Coussin de mousse
de 41 x 30,5 cm

1. Égalisez les bords vifs des bandes violette et or en les repliant sur 2 cm puis en repassant.

2. Disposez bord à bord les deux bandes sur la diagonale du petit rectangle rose. Épinglez puis cousez. Les points doivent être proches des bords des rayures.

3. Confectionnez le dos de la housse. Découpez le second rectangle rose en deux parties, l'une de 10 cm de large et l'autre de 30,5 cm. Repliez les deux bords ainsi découpés sur 2,5 cm puis repassez. Épinglez, faufilez puis cousez à la machine la glissière entre ces deux bords, en laissant dépasser d'environ 5 cm, ce qui vous permettra de glisser le curseur sur les dents (voir page ci-contre).

4. Une fois la glissière cousue, faites glissez le curseur d'environ 4 cm à l'intérieur du tissu puis coupez l'extrémité qui dépasse pour l'aligner sur la housse.

5. Placez les deux rectangles envers contre envers ; faufilez.

6. Tenez la housse à plat devant vous. Endroit contre endroit, placez l'une des grandes bandes dorées sur le bord supérieur de la housse. Centrez, épinglez puis cousez à la machine à environ 2,5 cm du bord.

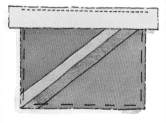

7. Repliez la bande vers l'extérieur puis cousez la seconde de la même manière.

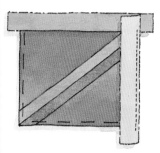

8. Lorsque les quatre bandes ont été cousues, repliez-les.

9. Pour couper les angles à 45°, commencez par tourner la housse sur le dos. Repliez les extrémités des bandes qui formeront ainsi des triangles que vous épinglerez à la base avant de les coudre à la machine. Coupez le tissu qui dépasse.

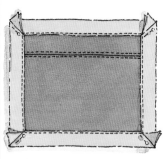

10. Sans retourner la housse, repliez l'extérieur de la bande dorée sur 2 cm et repassez. Pliez-la ensuite envers contre envers de façon que le bord vienne sur la ligne de couture. Repassez. Repassez ensuite à la base des triangles de tissu qui se seront ainsi formés et feront saillie, ce qui vous aidera à repérer la ligne de couture pour l'étape suivante.

11. Rouvrez la bordure une fois qu'elle a été bien aplatie.

12. En commençant par le coin supérieur gauche de la housse, rabattez la bande sur l'angle, endroit contre endroit.

13. Épinglez puis cousez à la machine le long du pli qui forme ainsi un angle droit avec la première couture biseautée.

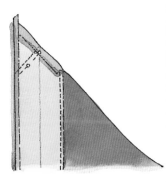

14. Découpez le tissu qui dépasse puis procédez de même avec les trois coins restant.

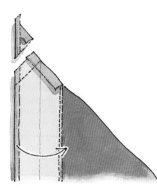

15. Retournez la bande dorée sur l'endroit, épinglez puis cousez sur la housse, dans laquelle vous pouvez maintenant glisser le coussin de mousse.

Coussin rond à boutons

Il vous faudra

Ciseaux
Rectangle de soie orange de 46 x 40,5 cm pour le dos et un carré de la même couleur (40,5 cm de côté) pour le devant
Mètre ruban
Fer à repasser
Épingles (dont une longue à tête en perle)
Fil et aiguille
46 cm de fermeture à glissière
3 bandes de soie violette (13 cm sur la largeur de votre tissu – 120 ou 140 cm) plus quelques chutes pour couvrir les boutons
Coussin de mousse (36 cm de diamètre)
2 boutons métalliques à fermeture arrière par clip (pour tenir le tissu les recouvrant)
Cordelette pour boutons et longue aiguille à chas très large

1. Pour le dos de la housse, commencez par découper le rectangle de soie en deux parties, de respectivement 15,5 et 30,5 cm de large.

2. Repliez les deux bords ainsi découpés sur 2,5 cm. Épinglez, faufilez puis cousez la glissière entre ces deux pièces, en laissant dépasser de 5 cm afin de pouvoir glisser le curseur (voir p. 60).

3. Rentrez la fermeture d'environ 2,5 cm à l'intérieur de ce qui est maintenant devenu un carré. Découpez un disque de 40,5 cm de diamètre dans chacun des carrés oranges.

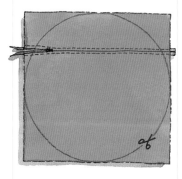

4. Pour le volant, cousez bout à bout les trois bandes de soie violette en les réunissant endroit contre endroit. Repassez les coutures en étalant la grande bande ainsi obtenue, à replier ensuite en deux dans le sens de la longueur, envers contre envers. Repassez.

5. Procédez comme indiqué aux étapes 5 et 6 du coussin carré (p. 60), en commençant par couper une grande longueur de fil que vous doublerez pour plus de résistance lors du plissage du tissu. Fixez le fil à l'une des extrémités de la bande de soie puis, à grands points, cousez ensemble sur la longueur.

6. Ramenez le tissu le long du fil pour le plisser jusqu'à obtenir une longueur égale à la circonférence du coussin plus 7-10 cm pour le chevauchement. Fixez temporairement les extrémités du fil en les nouant en « 8 » autour d'une épingle à grosse tête que vous planterez dans le tissu.

7. Épinglez le volant sur l'endroit du devant de la housse, en vérifiant bien que les deux extrémités se chevauchent et qu'elles rentrent à l'intérieur de la housse (de sorte que les bords vifs seront dissimulés lorsque la housse sera remise à l'endroit). Vérifiez aussi la régularité du plissage. Vous pourrez retoucher légèrement à mesure que vous coudrez à la machine.

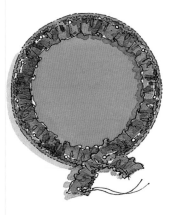

Vous pouvez remplacer la soie par un taffetas changeant, dont les couleurs chatoyantes captent bien la lumière. Pensez aussi que d'autres soies, plus neutres, présentent aussi cette qualité changeante dans les tons verts et bleus.

Cousez toujours très soigneusement afin d'éviter que le tissu ne gode. Ne lésinez pas sur le nombre d'épingles utilisées pour tenir le tissu en place avant couture, et faufilez toujours avant la couture définitive. N'oubliez pas que la soie perd facilement ses couleurs si elle est exposée à une lumière trop vive.

Vous pouvez aussi utiliser du coton indien qui, lorsqu'il est côtelé, se prête bien à ce genre de travail.

Vous trouverez des boutons de formes et tailles très diverses, alors pourquoi ne pas vous accorder un peu d'audace et de fantaisie ?

Si vous ne voulez pas faire les volants vous-même, remplacez-les par des franges à pompons du type de celles que l'on trouve parfois sur des abat-jour.

8. Placez le dos de la housse sur le devant, endroit contre endroit, avec la glissière légèrement ouverte. Épinglez vos deux ronds de soie puis faufilez.

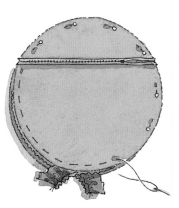

9. Cousez précautionneusement à la machine à 2,5 cm du bord. Vérifiez que l'aiguille prend bien toutes les épaisseurs et égalisez le plissage du volant en même temps. Lorsque le résultat est assuré, cousez une seconde fois.

10. Coupez la fermeture et égalisez les bords vifs puis retournez la housse sur l'endroit. Glissez-y le coussin de mousse et fermez la glissière.

11. Pour donner encore plus d'allure à votre coussin, découpez deux petits ronds de soie violette dont vous couvrirez les boutons. Prenez une aiguille et du fil pour coudre grossièrement la circonférence des ronds ainsi obtenus. Disposez un bouton au centre de chacun d'eux puis tirez doucement sur le fil pour resserrer le tissu. Faites un point d'arrêt solide. Clipsez l'arrière du bouton pour immobiliser le tissu.

12. Attachez l'extrémité d'un fil robuste à l'anneau derrière l'un des boutons. Passez l'autre extrémité de ce fil dans le chas d'une aiguille, puis piquez à travers le coussin pour le passer dans l'anneau à l'arrière de l'autre bouton. Nouez aussi serré que possible.

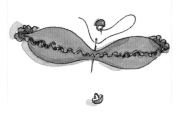

Plateau ovale

Nous n'avons pas résisté à l'élégance de ce simple plateau de contre-plaqué. Peint en un charmant gris-vert et décoré d'un très simple motif de chaleureuses couleurs estivales, ce plateau a ensuite été vieilli par un vernis à craqueler. Parfait pour le service de l'apéritif, il conviendra aussi pour les petits déjeuners au lit.

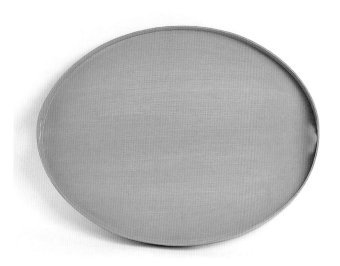

Il vous faudra

Papier de verre fin
Plateau de contre-plaqué ovale
Sous-couche acrylique blanche
Pinceaux plats de 25 mm
Émulsions mates en gris-bleu
    et gris-vert
Vieille cuillère
Bocaux avec couvercles
Craie blanche
Mètre ruban
Règle plate
Tubes d'acrylique en rose, turquoise et
    vert (vous pouvez aussi utiliser
    des émulsions) ainsi que blanc,
    terre d'ombre naturelle et or
Palette
Brosses à tableau n° 3 et 4
Papier absorbant

Pinceau à filets
Vernis à craqueler (voir p. 11)
Liquide vaisselle
Sèche-cheveux
Tube de peinture à l'huile terre
    d'ombre
White-spirit
Vernis à bois de qualité à base
    d'huile, semi-mat

Ce type de plateau, qu'il est facile de se procurer, existe en de nombreuses formes et tailles différentes.

1. Poncez soigneusement le plateau, en particulier autour des poignées et sur les arêtes, qui sont souvent les zones les plus irrégulières. Dépoussiérez.

2. Apprêtez les deux côtés du plateau d'une sous-couche acrylique légèrement diluée avec de l'eau. Veillez à ce qu'il n'y ait pas de coulure en prêtant un soin tout particulier aux poignées. Laissez sécher.

3. Après séchage, la peinture sera légèrement rugueuse. Passez délicatement le papier de verre en commençant par le plateau pour finir par les arêtes. Poncez toujours dans le sens du bois, jusqu'à ce que la peinture soit bien lisse.

4. Passez une seconde couche d'apprêt et laissez sécher.

5. Passez une couche d'émulsion gris-bleu en commençant par l'intérieur des côtés et en continuant par le plateau. Laissez sécher puis retournez le plateau pour peindre le dessous. Après séchage, passez une seconde couche en procédant comme pour la première.

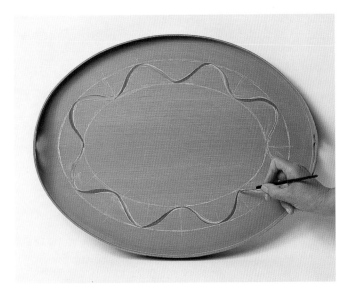

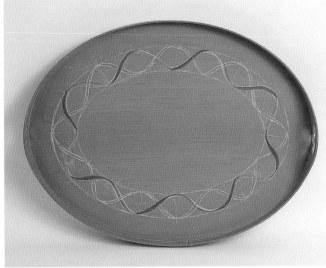

6. Déposez une cuillerée à café d'émulsion gris-vert dans un bocal, diluez-la avec un peu d'eau puis passez ce mélange sur le plateau en peignant dans le sens du fil du bois. Repassez le mélange jusqu'à obtention du résultat souhaité.

7. Reportez des marques de craie à 5 cm du bord du plateau, ces marques vous serviront à tracer un ovale qui suive la forme du plateau. Procédez de même à l'intérieur de ce nouvel ovale.

8. Sur le trait intérieur, portez maintenant des marques de craie en face des poignées puis au milieu des sections ainsi définies. Faites d'autres marques espacées de 5 cm entre ces dernières puis essayez d'égaliser les intervalles. À l'aide d'une règle, projetez ces marques sur le trait extérieur puis tracez le

contour du premier ruban torsadé.

9. Déposez un peu de rose et de turquoise sur votre palette. Que vous utilisiez de l'acrylique en tube ou de l'émulsion, il faudra aussi un peu de blanc pour réussir les rehauts et donner une apparence de volume à votre ruban.

10. Trempez la brosse à tableau n° 4 dans le rose, essuyez un côté sur le rebord de la palette puis trempez le côté ainsi essuyé dans le blanc. Vous aurez un pinceau chargé de rose d'un côté et de blanc de l'autre. Profitez de ce que votre pinceau est légèrement aplati pour le passer comme si vous alliez peindre un trait fin. Augmentez progressivement la pression exercée sur le pinceau puis relâchez-la pour revenir sur la

pointe. Ces mouvements successifs produiront l'effet de ruban torsadé. Vous ne pourrez pas faire tout le tour en une seule fois – il faudra donc peindre par portions. Procédez de même pour chaque nouvelle portion. Lorsque vous avez fait le tour, laissez sécher.

11. Dessinez maintenant le second ruban à la craie en le faisant passer alternativement sur et sous le ruban rose, puis peignez-le en turquoise en procédant comme précédemment.

12. Déposez un peu de vert sur votre palette. Rincez votre pinceau à l'eau puis remettez-le en forme en le passant entre vos doigts avant de le charger légèrement en peinture. Appuyez votre petit doigt sur le rebord du plateau puis placez la pointe du

pinceau sur le trait avant de l'y allonger sans appuyer. Tirez maintenant le pinceau vers vous, en vous guidant sur l'extrémité de la virole. Rechargez régulièrement le pinceau puis replacez-le légèrement en arrière du point au vous vous étiez arrêté. Continuez ainsi sur tout le tour. Un papier absorbant à portée de main servira à effacer d'éventuelles bavures.

13. Procédez de même pour le second trait une fois le premier sec. Laissez sécher.

14. Pour dorer l'arête du bord, déposez sur un couvercle un peu de terre d'ombre et d'or (en quantités égales). Mélangez une partie de ces couleurs avec un peu d'eau, en utilisant plus de terre d'ombre pour la première couche. Passez avec une brosse à tableau n° 3 sur l'arête du bord

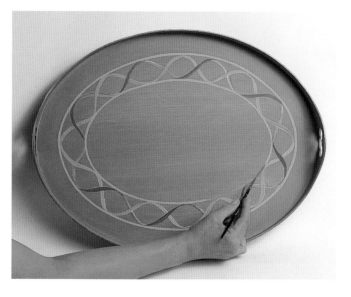 

ainsi qu'à l'intérieur des poignées. Veillez à ne pas déborder sur le vert. Procédez de même pour la deuxième couche, avec un mélange légèrement plus riche en or. Laissez sécher.

15. Effacez les traits de craie avec un papier absorbant légèrement humide.

16. Passez une mince couche de vernis à craqueler à l'huile. Laissez sécher toute une nuit.

17. Le lendemain, passez la deuxième couche du vernis (celle à base d'eau). Vous verrez se former de petites bulles d'air. Pour supprimer ces bulles ainsi que les traces de pinceau, frottez délicatement de la pointe du doigt, ce qui améliorera aussi l'adhérence au support. Tenez le plateau sous une lumière rasante pour y repérer

d'éventuelles irrégularités, à effacer de la pointe d'un doigt trempé dans du liquide vaisselle. Laissez sécher au moins une heure, une nuit si possible.

18. Chauffez légèrement au sèche-cheveux réglé en position basse jusqu'à ce que de minuscules fissures apparaissent à la surface du vernis.

19. Mélangez un peu de terre d'ombre et de white-spirit dans un bocal puis passez ce mélange au papier absorbant ou au pinceau pour le faire pénétrer dans les fissures et donner à votre plateau une apparence vieillie. Essuyez au papier absorbant. Travaillez en mouvements circulaires jusqu'à ce que le papier ne ramasse plus rien. Laissez sécher une nuit.

20. Le vernis à craqueler étant soluble à l'eau, il faut le protéger d'une couche de vernis à l'huile. Laissez sécher en suivant les instructions du fabricant puis passez une seconde couche. Après séchage, votre plateau sera prêt.

Porte-serviettes et porte-savon émaillés

Ce ravissant accessoire, découvert très abîmé dans une brocante, a été habilement transformé en un élégant porte-serviettes idéal pour les petites salles de bains, où l'espace est précieux.

Il vous faudra

Vieux porte-écumoires bien récuré
Antirouille rouge et vieux pinceau
Sous-couche d'apprêt acrylique blanche
Pinceaux plats de 25 mm
Liquide vaisselle
Émulsions mates en vert sauge et blanc (ou tubes d'acrylique de ces mêmes couleurs)
Colle PVA
Vieille cuillère
Boîte en plastique avec couvercle
Gants fins
Petite éponge naturelle
Bocal avec couvercle
Tube d'acrylique or
Brosse à tableau n° 3
Vernis satiné

On peut trouver de vieux porte-écumoires un peu abîmés à des prix beaucoup plus raisonnables que les neufs.

1. Passez le support à l'antirouille, ce qui facilitera l'accrochage de la peinture tout en le protégeant de la rouille. Effacez les coulures et laissez sécher environ une heure.

2. Passez une seconde couche d'antirouille et laissez sécher une nuit.

3. Passez deux sous-couches d'acrylique blanche en laissant bien sécher après chaque couche. Si la peinture ne prend pas bien sur l'antirouille, ajoutez-y une ou deux gouttes de liquide vaisselle. Vérifiez que toute la surface est bien peinte, y compris les arêtes et le rebord.

4. Passez deux couches de vert en laissant bien sécher à chaque fois.

5. Mélangez une cuillerée de vert et une de colle PVA pour quatre volumes d'eau puis déposez une cuillerée de

peinture blanche sur une palette.

6. Mettez vos gants et trempez partiellement l'éponge dans le glacis vert puis dans le blanc. Tapotez le support à l'éponge en mouvements aléatoires, en reprenant régulièrement de la couleur et du blanc et en commençant toujours par le glacis. Laissez sécher puis procédez de même pour le dessous et l'arrière du support. Lavez bien l'éponge, faute de quoi la colle la rendra dure comme pierre.

7. Remplissez votre bocal d'eau et déposez un peu de peinture or sur le couvercle. Humectez la brosse à tableau et mélangez

avec la peinture or. Peignez alors les bords selon un motif festonné et régulier.

8. Après séchage, passez deux couches de vernis acrylique satiné, en laissant bien sécher après chacune.

Évasion pour une soirée

Toutes les réalisations de ce chapitre demandent une certaine dose de concentration, mais toutes se révéleront aussi suffisamment absorbantes pour vous faire oublier les soucis de votre journée de travail. Le découpage-application est une activité très apaisante et la dorure produit toujours des effets spectaculaires. Alors, bonne soirée !

Cache-pot rose

Il n'est pas facile de trouver de beaux cache-pot, alors autant les décorer soi-même.
Les couleurs utilisées ici nous ont été inspirées par le tissu Renaissance
qui sert de toile de fond.

Il vous faudra

Cache-pot métallique, dégraissé et récuré
Gants fins
Petit pinceau plat
Antirouille
Sous-couche acrylique blanche
Pinceau plat de 25 mm
Émulsions mates rose pâle ou blanc, rose foncé et rouge soutenu
Bocaux avec couvercles
Tubes d'acrylique or, terre d'ombre et blanc
Brosses à tableau n° 2, 3 et 8
Crayon
Motif sur papier-calque, à décalquer
Adhésif de masquage
Tube d'huile terre d'ombre
White-spirit
Papier absorbant
Vernis à bois de bonne qualité ou laque polyuréthanne
Feutre adhésif

1. Mettez vos gants puis traitez le cache-pot à l'antirouille. Attention aux coulures sur les bords et autour des poignées. Laissez sécher une heure puis passez une seconde couche que vous laisserez sécher toute une nuit.

2. Passez deux couches d'apprêt acrylique blanc. Laissez sécher.

3. Couvrez l'intérieur et l'extérieur de deux couches de rose pâle ou de crème, en peignant toujours dans le même sens et en laissant bien sécher après chaque couche.

4. Remplissez un bocal d'eau et déposez un peu de peinture dorée et terre d'ombre sur le couvercle. Mélangez partiellement ces deux couleurs avec un peu d'eau. Peignez le haut du cache-pot et les poignées avec ce mélange. Laissez sécher un peu avant de passer la seconde couche.

5. Repassez au crayon le dos du motif reporté sur le papier-calque.

6. Retournez le calque puis fixez-le sur le cache-pot avec de l'adhésif. Repassez le motif au crayon pour transférer le dessin sur le support.

7. Peignez le motif avec les couleurs de votre choix. Laissez sécher.

8. Diluez un peu de terre d'ombre à l'huile avec du white-spirit. Passez ce mélange destiné à vieillir le cache-pot en suivant la démarche indiquée page 10. Commencez par vous faire la main sur l'intérieur du pot. Il sera peut-être nécessaire de diluer un peu plus votre peinture. Attendez une ou deux minutes avant de commencer à essuyer au papier absorbant. Répéter l'opération sur l'extérieur.

9. Laissez sécher une nuit sans toucher le pot pour ne pas laisser de traces de doigts. Le lendemain, passez une couche de vernis à l'huile (vous pouvez aussi choisir un vernis à craqueler et vous reporter aux instructions de la page 11).

10. Couvrez le fond du pot de feutre adhésif.

Commode rustique

Cette commode était à l'origine couverte de nombreuses couches de peinture brillante et pourvue de longs pieds fuselés ainsi que de poignées dépareillées ! Une fois peinte en vert et munie de nouvelles poignées, elle retrouve une nouvelle jeunesse.

Il vous faudra

Commode, décapée, poncée et dépoussiérée
Vernis (gomme-laque) et vieux pinceau
Couche d'apprêt acrylique blanc
Pinceaux plats de 25 mm
Papier de verre 240 et 100
Émulsion mate vert tendre
Tube d'huile terre d'ombre
White-spirit
Papier absorbant
Cire d'abeille incolore
Chiffon doux

1. Effectuez les réparations nécessaires (nous avons apporté un fond en médium et des baguettes d'angle, collées puis vissées). Vérifiez que les tiroirs coulissent bien.

2. Retirez les tiroirs ; passez une couche de vernis gomme-laque sur la façade et le cadre pour empêcher la teinture du bois de remonter (voir p. 7). Ne repassez pas sur vos coups de pinceau car le vernis sèche vite et vous obtiendrez des irrégularités de couleur. Passez une seconde couche et laissez sécher.

3. Passez une couche d'apprêt blanc sur le cadre et la façade des tiroirs, en diluant avec un peu d'eau si nécessaire. Laissez sécher.

4. Poncez les surfaces de médium, qui seront un peu rugueuses après avoir été peintes, puis couvrez d'une deuxième couche.

5. Poncez à nouveau les arêtes et le plateau. Peignez en vert, en diluant avec un peu d'eau si nécessaire. Suivez toujours le fil du bois. Laissez sécher.

6. Passez une deuxième couche de vert, laissez sécher et remettez les tiroirs en place, sans les repousser à fond pour que la peinture ne colle pas.

7. Poussez les tiroirs à fond et retouchez au pinceau fin les endroits mal couverts. Rouvrez légèrement les tiroirs jusqu'à ce que la peinture sèche.

8. Fixez maintenant les poignées et « vieillissez » la peinture : poncez légèrement les arêtes là où les frottements d'usure sont les plus probables (sous les poignées et vers le haut des tiroirs). Si le papier de verre fin ne suffit pas, utilisez du 100. Le degré de vieillissement est affaire de goût personnel. Dépoussiérez.

9. Il faut maintenant vieillir l'extérieur de la commode avec un mélange de terre d'ombre et de white-spirit (voir p. 10). Commencez par le haut de l'un des côtés et travaillez dans le sens du bois avec un pinceau plat. Attendez 5-10 minutes avant de commencer à essuyer au papier absorbant. Laissez sécher une nuit.

10. Après un jour ou deux, passez une généreuse couche de cire d'abeille. Laissez sécher 10-15 minutes avant de lustrer au chiffon doux.

Coussins de style médiéval

Les intérieurs médiévaux, chichement meublés, constituaient le décor idéal pour mettre en valeur tapisseries, tentures et coussins de riches velours et brocarts. La chaleur des ocres, terres de Sienne et verts choisis ici ne peut qu'évoquer les ambiances moyenâgeuses.

TRAVERSIN DE VELOURS DORÉ

Il vous faudra

Mètre ruban
Rectangle de velours doré
 de 71 x 48,5 cm plus deux
 bandes de 71 x 15 cm
 pour les extrémités
Fer à repasser
Ciseaux
97 cm de Velcro de 2 cm de large
Épingles
Machine à coudre
2,5 m de galon brodé de 2,5 cm de
 large ou 5 m de galon étroit que
 vous doublerez
76 cm de ganse ou ficelle incassable
2 petites épingles de sûreté
2 grands pompons (15 cm)
Fil et aiguille
1,5 m de cordon décoratif
Oreiller de mousse de 43 cm ou
 coussin roulé

Ces coussins sont la preuve que les couleurs chaudes, les ganses et les cordons contribuent à apporter un air de luxe à la pièce qu'ils décorent. Fouillez dans votre sac de chutes de tissu ou bien investissez dans quelques mètres de ces somptueuses décorations.

1. Repliez sur 2 cm les deux côtés courts du grand rectangle or et repassez délicatement. Coupez en deux le Velcro et épinglez une longueur sur chacun des côtés, la première sur l'endroit et la seconde sur l'envers de façon à ce qu'elles viennent en contact lorsque vous refermerez le tissu. Cousez à la machine.

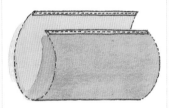

2. Placez le velours côté endroit vers vous et reportez des sections d'environ 13 cm de large sur toute la longueur du tissu. Piquez des épingles aux extrémités de ces lignes (une sur l'endroit et une sur l'envers). Coupez le galon à la bonne longueur et épinglez le long des traits. Cousez à la machine sur la médiane des galons ou sur les bords si vous utilisez un galon large (utilisez un fil assorti au galon). Vous pouvez aussi couvrir de galon le Velcro cousu sur l'envers.

3. Prenez les deux bandes étroites et repliez l'un des grands côtés de chacune sur 2,5 cm afin de faire un passage pour la ganse. Épinglez puis cousez.

4. Alignez les deux bords longs non cousus endroit contre endroit sur les bords extérieurs du panneau central. Épinglez puis cousez à 2,5 cm des bords en laissant un espace de 2 cm dans les deux coutures, non loin de l'une des deux bandes de Velcro. (Ceci vous permettra de dissimuler les extrémités vives du cordon.)

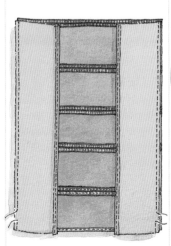

5. Coupez en deux votre ganse. Passez une épingle de sûreté dans l'extrémité de l'une des deux longueurs puis tirez pour la faire passer dans le tube cousu sur l'un des panneaux latéraux. Procédez de même pour l'autre côté.

6. Repliez la housse endroit contre endroit et fixez les petits côtés des panneaux latéraux avec des épingles. Cousez à la machine à 2,5 cm des bords sans dépasser la ligne de couture du tube de la ganse afin de ne pas prendre cette dernière dans les points de la machine.

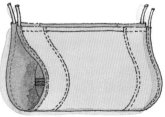

7. Tirez fermement sur la ganse pour refermer la housse et la mettre en forme. Nouez solidement les extrémités et coupez ce qui dépasse.

8. Prenez les pompons, passez les mains par l'ouverture du Velcro puis passez le cordon bouclé au-dessus de chaque pompon par l'ouverture ménagée à l'extrémité de la housse. Les points de couture trop visibles doivent se trouver à l'intérieur.

9. Retournez la housse sur l'endroit, cousez à la main le galon autour de chacune des extrémités pour bien maintenir

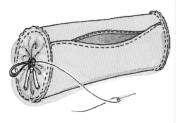

en forme. Glissez les extrémités du cordon par les petites ouvertures ménagées lors de l'étape 4. Fixez de quelques points cousus à la main puis mettez en place le traversin ou le coussin roulé.

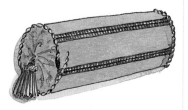

TRAVERSIN OVALE

Il vous faudra

Un rectangle de velours brun de 71 x 53,5 cm plus deux rectangles de 24 x 20,5 cm pour les extrémités
Mètre ruban
Épingles
Ciseaux
142 cm de galon brodé de 6,5 cm de large
Machine à coudre
107 cm de Velcro de 2 cm de large
Fil et aiguille
142 cm de galon fantaisie
Traversin de 50 cm de long ou cousin roulé de même longueur

1. Étalez le grand rectangle, endroit tourné vers le haut. Divisez-le sur la longueur en trois bandes d'environ 15 cm que vous matérialiserez à l'aide d'épingles piquées dans le tissu à chaque extrémité et sur les deux faces.

2. Coupez le galon brodé en deux longueurs égales et épinglez-les sur le rectangle de velours en les alignant sur les épingles préalablement mises en place. Ajustez l'écartement en fonction de la largeur exacte du galon. Cousez le long des bords du galon avec un fil de couleur assortie.

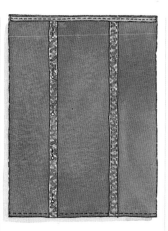

3. Retournez les deux petits côtés sur 2,5 cm. Coupez en deux le Velcro et épinglez une moitié sur chacun des côtés ainsi pliés, la première sur l'endroit du tissu, la seconde sur l'envers (comme pour le coussin doré). Cousez à la machine.

4. Découpez deux ovales de 20,5 x 24 cm dans les deux petites pièces de velours.

5. Roulez le rectangle galonné en forme de tube, envers sur l'extérieur, sans refermer le Velcro. Épinglez les pièces ovales à chaque extrémité, l'envers sur l'extérieur.

6. Cousez les ovales à la machine à 2,5 cm des bords, en ménageant une ouverture d'environ 2 cm à proximité du Velcro afin de pouvoir y dissimuler les extrémités du cordon fantaisie. Cousez aussi les extrémités du Velcro pour bien le fixer.

7. Retournez la housse sur l'endroit puis cousez proprement à la main le cordon fantaisie pour maintenir la forme ovale. Faites passer l'extrémité du cordon dans les ouvertures préalablement ménagées et refermez en cousant à la main. Il ne reste plus qu'à mettre en place le traversin ou le coussin roulé.

PETIT COUSSIN DAMASSÉ

Il vous faudra

Ciseaux
Deux rectangles de soie damassée verte : 51 x 36 cm pour l'arrière de la housse et 51 x 30 cm pour le devant
Mètre ruban
Fer à repasser
Épingles
Fil et aiguille
56 cm de fermeture à glissière
Machine à coudre

Quatre pompons dorés
114 cm de cordon chenille
Coussin de mousse
de 46 x 25 cm

1. Coupez en deux le grand rectangle de manière à obtenir deux pièces de respectivement 11 et 25 cm de large.

2. Retournez les deux bords fraîchement découpés sur 2,5 cm puis repassez. Épinglez et faufilez la glissière entre ces deux bords retournés, en laissant une extrémité dépasser d'environ 5 cm. Cousez.

3. Ouvrez l'extrémité de la glissière sur environ 2,5 cm et découpez en « V » jusqu'aux dents (voir p. 60), ce qui vous donnera une meilleure prise pour installer le curseur de la glissière. Mettez le curseur en place puis faites-le rentrer d'environ 4 cm dans le rectangle de tissu. Découpez la glissière pour l'aligner sur le bord du tissu.

4. Étalez l'autre rectangle, endroit vers le haut, et fixez un pompon à chaque angle en épinglant au travers du cordon d'attache. Disposez le pompon vers l'intérieur du tissu et le cordon vers l'extérieur.

5. En ouvrant partiellement la fermeture, épinglez ensemble les deux côtés de la housse, endroit

contre endroit. Piquez le pourtour à la machine à environ 2,5 cm du bord.

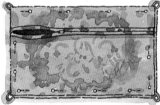

6. Retournez la housse sur l'endroit, cousez le cordon chenille à la main, de manière à former un rectangle en faisant se chevaucher les deux extrémités, que vous coudrez fermement pour éviter qu'elles ne s'effilochent. Mettez le coussin dans la housse.

Bougeoirs ouvragés

*Ces charmants bougeoirs délicatement ouvragés ont été peints
de deux couleurs puis décorés de transfert argenté et enfin vieillis
pour leur donner une belle patine.*

Il vous faudra

Deux bougeoirs en bois
*Émulsions mates en turquoise
    et terre cuite*
Petits pinceaux
*Assiette à dorer acrylique et petit
    pinceau*
Feuilles d'argent à transférer
Petit pinceau doux
*White-spirit et papier absorbant ou
    laine d'acier fine*
Laque à l'huile chêne moyen
Cire blanche ou vernis (gomme-laque)
*Si vous le désirez : cire à céruser et
    tubes d'huile vert viridien et gris
    de Payne*
Petit pinceau de soies naturelles

Vous remarquerez qu'après la
troisième photo j'ai choisi
d'inverser les couleurs pour le
sommet et le pied du bougeoir.

1. Commencez par peindre en
turquoise les parties non
ouvragées. Après séchage,
passez une seconde couche
(voire une troisième si
nécessaire). Laissez sécher.

2. Peignez toutes les zones
ouvragées en rouge brique.
Laissez sécher puis passez une
seconde couche.

3. Passez l'assiette à dorer sur
tous les endroits à argenter en
faisant bien attention aux recoins
les plus enfoncés. Attendez au
moins 15 minutes. Le support
doit alors être collant.

4. Appliquez délicatement une
feuille transfert en lissant des
doigts, puis retirez le papier
support. Faites ainsi le tour du

bougeoir en faisant légèrement
se chevaucher les feuilles.

5. Frottez délicatement avec un
pinceau doux, en tapotant de la
pointe dans les renfoncements
et en égalisant les irrégularités
sur les bords. Si certains endroits
n'ont pas été bien couverts
d'assiette à dorer, remettez-en
un peu mais pensez bien à
attendre qu'elle soit collante
avant d'appliquer une nouvelle
feuille transfert.

6. Deux façons de vieillir le
bougeoir s'offrent à vous : passez
un peu de white-spirit sur les
reliefs qui seraient logiquement
les plus usagés puis essuyez
aussitôt au papier absorbant, ou
bien frottez très délicatement à la
laine d'acier fine.

7. Retouchez la peinture là où
des fragments d'argent seraient
venus se coller.

8. Après 24 heures, passez une
couche de laque chêne moyen
sur les surfaces argentées si vous
souhaitez un effet « plaqué » ou
bien une couche de cire blanche
pour un effet « argent ». Le choix
d'un vernis gomme-laque vieillira
un peu plus votre bougeoir.

9. Pour donner un aspect vert-
de-gris au corps du bougeoir,
mélangez une cuillerée de cire à
céruser avec une touche des
peintures utilisées, puis passez
au pinceau de soies naturelles et
laissez sécher une nuit avant de
lustrer. Vous pouvez aussi ne pas
lustrer et conserver un aspect
terne, comme les exemples ici.

Broc et bassine fleuris

La douceur des tons crème et ocre, obtenue en peignant ces ustensiles

émaillés à l'éponge, se marie à merveille avec le motif floral

en découpage-application. Le filet de bordure vieil or, peint à la main,

vient rehausser le tout.

Il vous faudra

Broc et bassine émaillés,
    récurés et secs
Antirouille
Pinceaux plats de 25 mm
Apprêt acrylique blanc
Liquide vaisselle
Émulsions mates ou satinées en
    crème et blanc (facultatif)
Vieille cuillère
Colle PVA
Boîte en plastique avec couvercle
Tubes d'acrylique en blanc, ocre jaune,
    or, terre d'ombre, vert soutenu, gris
    de Payne et rouge vénitien
Petite éponge naturelle
Papier absorbant
Gants fins
Bocal avec couvercle
Brosse à tableau n° 3
Petits ciseaux pointus
Deux feuilles de papier-cadeau
    à motif floral
Adhésif repositionnable
Craie blanche
Petite brosse à encoller
Colle pour papier peint lourd
Cutter
Chiffon imbibé d'huile de lin
Laque acrylique convenant
    pour le papier

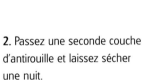

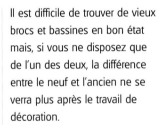

Il est difficile de trouver de vieux brocs et bassines en bon état mais, si vous ne disposez que de l'un des deux, la différence entre le neuf et l'ancien ne se verra plus après le travail de décoration.

1. Peignez l'extérieur du broc avec l'antirouille. Le plus simple est d'y enfoncer le bras et de le faire tourner à mesure que vous progressez. Faites attention aux coulures, particulièrement au col et sous la poignée. Peignez aussi l'intérieur du broc jusqu'au col et l'intégralité de celui de la bassine. Laissez sécher une heure environ puis retournez-les pour peindre le dessous. Laissez sécher.

2. Passez une seconde couche d'antirouille et laissez sécher une nuit.

3. Passez deux couches d'apprêt blanc sur le broc et la bassine, en laissant bien sécher après chaque couche. Si la peinture n'accroche pas bien, ajoutez-y une ou deux gouttes de liquide vaisselle.

4. Passez deux couches d'émulsion crème, en la diluant d'un peu d'eau si elle laisse trop de traces de pinceau.

5. Préparez un glacis en mélangeant une cuillerée de colle PVA avec une cuillerée d'émulsion crème et quatre volumes d'eau.

6. Déposez un peu d'émulsion ou d'acrylique blanche et la même quantité d'ocre jaune sur le couvercle de la boîte en plastique. Humectez votre éponge et essorez-la légèrement.

7. Mettez vos gants et trempez l'éponge dans le glacis puis dans l'ocre ; peignez en diagonale.

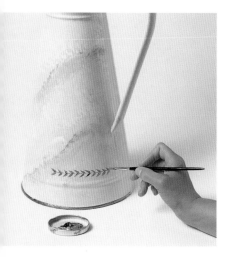

8. Couvrez ainsi tout le broc, en reprenant toujours du glacis avant la peinture ocre. Laissez quelques irrégularités sous lesquelles se verra la peinture crème. Repassez ainsi deux ou trois fois jusqu'à obtenir l'effet désiré, puis laissez sécher.

9. Peignez la bassine comme vous avez fait pour le broc, puis lavez aussitôt votre éponge à l'eau chaude, avant que la colle ne la durcisse définitivement.

10. Remplissez un bocal d'eau et déposez un peu de peinture or et terre d'ombre sur le couvercle. Ajoutez quelques gouttes d'eau pour obtenir un vieil or. Le mélange doit être plus riche en terre d'ombre pour la première couche.

11. Peignez le filet sur les bords en travaillant toujours dans le même sens. Essuyez aussitôt les bavures au papier absorbant. Continuez jusqu'à obtenir une teinte suffisamment dense et exempte de traces de pinceau.

12. Préparez le même mélange qu'en 10 et peignez les feuilles, les nœuds et les rubans en suivant les indications données page 128. Terminez par les petites baies que vous peindrez en rouge près des feuilles.

Découpage-application

13. Découpez soigneusement les feuilles et les fleurs de votre papier-cadeau. Mieux vaut « mordre » un peu dans le motif que de laisser un fond autour de la pièce découpée. Faites tourner le papier plutôt que les ciseaux et découpez toujours dans le même sens. Les tiges trop enroulées peuvent être découpées en plusieurs portions qui seront remises bout à bout lors du collage.

14. Commencez à préparer l'agencement des motifs découpés, en les fixant temporairement sur le support avec de l'adhésif repositionnable jusqu'à obtenir un résultat bien équilibré.

15. Tracez les contours des motifs à la craie pour vous aider à les remettre en bonne place une fois qu'ils seront encollés. Lorsque deux formes se chevauchent, retirez celle du dessus afin de pouvoir tracer aussi le contour de celle du dessous.

16. Commencez par encoller les formes situées à l'extérieur de la composition. Passez la colle en partant du centre. Soulevez le papier de la pointe du cutter puis mettez-le en place.

17. Du bout du doigt (éventuellement humecté), lissez bien chaque pièce pour en chasser bulles d'air et paquets de colle, en partant toujours du centre. Essuyez la colle qui ressort ainsi de sous la pièce, mais gardez le vrai travail de nettoyage pour plus tard, lorsque le tout aura bien séché. Rincez-vous régulièrement les doigts pour éviter que la colle n'altère les coloris. Lorsque tous les découpages sont bien en place et lissés, repassez sur les contours.

18. Laissez sécher.

19. Humectez d'eau chaude un papier absorbant ou une éponge pour retirer les dernières traces de colle de la surface des découpages. Travaillez toujours délicatement et en partant du centre. Nettoyez enfin le fond en prenant bien garde aux bords des découpages. Remettez un peu de colle sous les contours qui n'adhéreraient pas bien.

20. Tenez le broc et la bassine dans un éclairage rasant pour vérifier qu'il ne reste pas de colle et que votre ouvrage est propre, prêt à être verni. Dépoussiérez.

21. Appliquez la laque acrylique en procédant comme pour la peinture. Travaillez de manière régulière, toujours dans le même sens et en faisant attention aux coulures. Passez au moins cinq couches, en laissant bien sécher après chacune. Le motif devrait alors prendre une vraie profondeur et ne plus avoir l'air collé.

Révolution
en une journée

Notre rythme de vie effréné ne nous a pas fait perdre le goût des objets et décorations venus d'époques plus calmes. Gardez l'œil ouvert et vous finirez par dénicher de vieilles chaises, coiffeuses ou commodes. Elles seront abîmées mais un peu de peinture pastel, l'apport d'une nouvelle corniche, d'un nouveau dosseret ou d'autres accessoires leur redonnera une nouvelle vie. Lancez-vous dans la création de vos propres motifs décoratifs, trouvez un bon tapissier pour les chaises (ou apprenez la technique !) et amusez-vous bien.

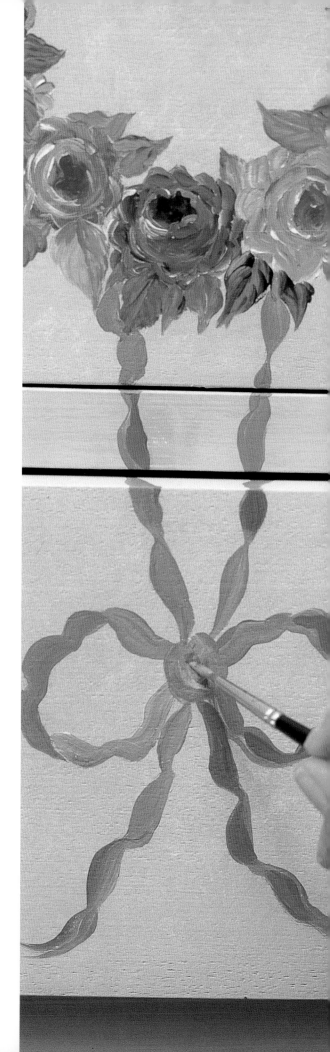

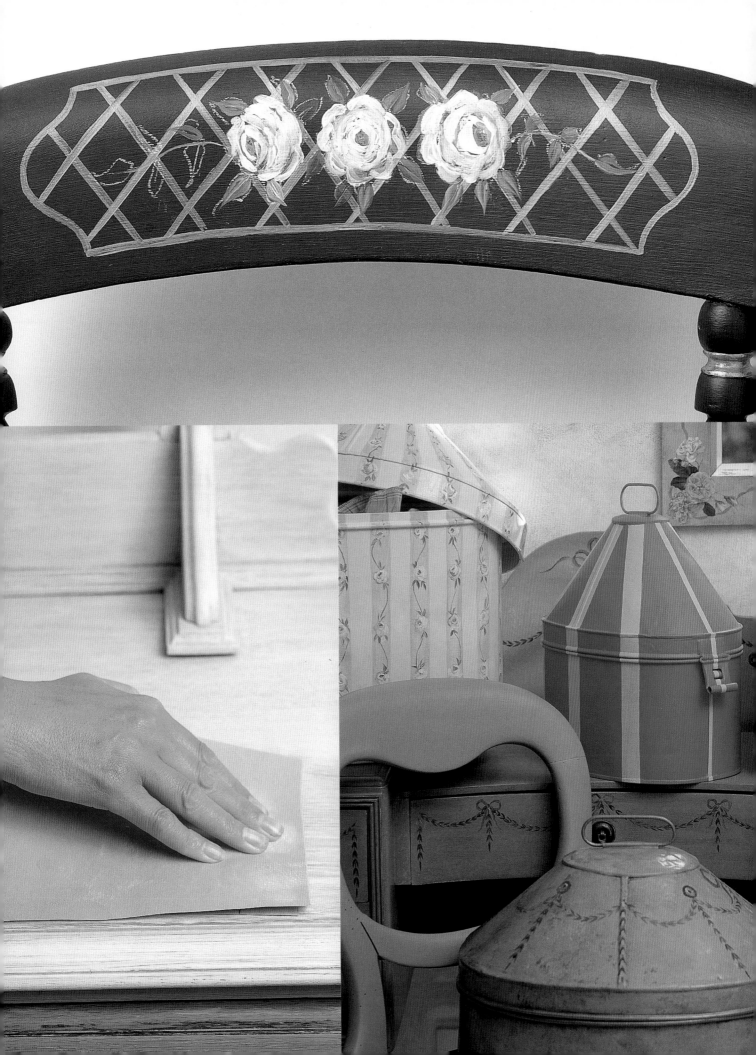

Chaises victoriennes noires

Ces deux chaises, peintes en noir, ont été décorées dans le plus pur style victorien. Les roses du dossier rappellent celles du tissu de l'assise. Ainsi ramenées à la vie, ces chaises s'intègrent aussi bien dans un décor moderne que dans une pièce plus traditionnelle.

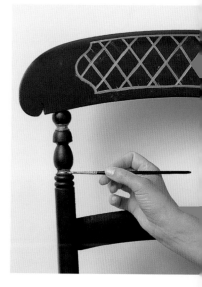

Il vous faudra

Chaises en bois, décapées
Papier de verre en 240 et 100
Bâche de protection
Vernis (gomme-laque) et vieux pinceau
Émulsion noire
Pinceau plat de 25 mm
Craie blanche
Papier absorbant
Règle plate
Boîte en plastique avec couvercles
Tubes d'acrylique en terre d'ombre, or, ocre jaune, blanc, jaune de cadmium, vert de Hooker et gris de Payne
Brosses à tableau n° 2 et 4
Pinceau à filets
Vernis acrylique convenant pour le papier ou vernis à l'huile

Gardez l'œil ouvert lorsque vous visitez des brocantes. Les deux chaises ici ont été trouvées chez des marchands différents mais, une fois décorées, les différences ne sont plus visibles. Elles ont été décapées à la main mais vous pouvez aussi faire appel à un professionnel.

1. Commencez par poncer les chaises au papier de verre 100, en travaillant dans le sens du fil du bois, puis finissez au papier de verre fin. Dépoussiérez.

2. Si votre bois est très sombre, il est probablement teinté, aussi vaudra-t-il mieux commencer par passer une couche de vernis gomme-laque destinée à empêcher la teinture de revenir tacher la peinture, ce qui arriverait

quel que soit le nombre de couches de peintures passées. Protégez le sol d'une bâche sur laquelle vous retournerez la chaise avant de la vernir. Évitez de passer plusieurs fois le pinceau au même endroit. Laissez sécher une heure environ.

3. Remettez la chaise sur ses pieds pour vernir l'autre côté.

4. Passez une seconde couche de vernis comme la précédente.

5. Retournez à nouveau la chaise pour passer la première couche d'émulsion noire, que vous finirez en remettant la chaise sur ses pieds. Laissez sécher avant de passer la seconde couche comme la première.

6. Tracez le motif de treillis à la craie en commençant par le tour. Vous pouvez effacer vos erreurs avec un papier absorbant humide. Tracez les croisillons en vous guidant à l'aide d'une règle.

7. Versez un peu d'eau dans une boîte en plastique et

déposez un peu de terre d'ombre et d'or sur le couvercle. Mélangez un peu de ces deux couleurs avec une ou deux gouttes d'eau. Prenez votre pinceau à filets et chargez-le régulièrement de ce mélange vieil or.

8. Reposez votre petit doigt sur le haut du dossier puis alignez le pinceau jusqu'à la virole sur le trait de craie. Tirez-le vers vous. Essuyez toute bavure éventuelle au papier absorbant humide. Lorsque vous commencez à manquer de peinture, relevez délicatement le pinceau pour le recharger puis recommencez un peu en arrière du point où vous vous étiez arrêté. Une fois le tour fini, passez aux croisillons puis repassez sur le tour si nécessaire. Laissez bien sécher.

9. Prenez une brosse à tableau n° 4 et, avec le même mélange vieil or, peignez les moulures des

barreaux et des pieds de la chaise. Ces petites « dorures » sont typiques du style victorien.

10. Tracez à la craie le contour grossier des trois roses (un cercle et quelques volutes autour suffiront). Tracez ensuite les tiges et six feuilles sur chacune d'elles. Ajoutez quelques feuilles éparpillées autour des roses pour équilibrer le motif.

11. Pour les roses, déposez un peu d'acrylique ocre, blanc et jaune de cadmium sur un autre couvercle ; changez l'eau du bocal.

12. Humectez régulièrement le pinceau n° 4 (légèrement plus gros) pour diluer un peu la peinture, et passez une première couche d'ocre sur les roses.

13. Avant que la peinture ne sèche, couvrez d'une couche de

blanc, qui se mélangera légèrement avec l'ocre. Vous pouvez aussi charger votre pinceau d'ocre d'un côté et de blanc de l'autre, ce qui nuancera la teinte des roses.

14. Déposez sur votre palette de toutes petites quantités de vert de Hooker et de gris de Payne et, si nécessaire, un peu de blanc. Prenez le pinceau n° 2 et, avec le vert, peignez les tiges aussi finement que possible. Aplatissez le pinceau contre le rebord de la palette pour retirer la peinture d'un côté et affiner le trait. Peignez ensuite les feuilles, également en vert.

15. Mélangez un peu de vert de Hooker et de gris de Payne pour ombrer les feuilles, en chargeant de temps en temps votre pinceau de blanc. Lavez votre pinceau et trempez-le soit dans le blanc soit dans le vert selon que vous voulez ombrer ou rehausser. Repassez aussi le contour des feuilles et dessinez quelques nervures.

16. Ajoutez une touche de jaune de cadmium sur le cœur des

roses et une touche de blanc pour rehausser les pétales. Laissez sécher.

17. Terminez la peinture en exécutant le nœud et les rubans sur l'une des barres du dossier avec un mélange de terre d'ombre et d'or. Il faut ici peindre les boucles du nœud et le ruban en portions distinctes, ce qui contribuera à l'effet de volume.

Mélangez un peu de chacune des couleurs avec un peu d'eau. Essuyez le bord du pinceau n° 2 contre la palette et trempez-le dans la terre d'ombre puis retournez-le pour le tremper dans l'or, sans trop le charger. Chacune des deux boucles principales du nœud est composée de trois sections. Commencez par le centre de la boucle de droite et travaillez vers l'extérieur (voir p. 129).

Posez la pointe du pinceau sur le haut de la boucle et tracez

une ligne étroite qui ira en s'élargissant à mesure que vous augmenterez la pression sur le pinceau. Arrêtez-vous juste après le sommet de la première courbe. Rechargez votre pinceau comme précédemment et passez à la courbe inférieure. En commençant toujours par le centre peignez comme précédemment et arrêtez-vous après le point le plus bas. Rechargez le pinceau et commencez votre troisième trait à partir de la fin du second, en relâchant progressivement la pression exercée pour terminer sur une ligne fine qui s'arrêtera au point de jonction avec la courbe supérieure.

18. Peignez la boucle de gauche de la même manière que la précédente, en terminant par un coup de pinceau qui marquera le nœud. Parachevez en peignant les pendants latéraux puis

procédez de même pour l'autre chaise.

19. Si vous faites appel à un tapissier professionnel, demandez-lui de faire très attention. Personnellement, je ne vernis jamais mes chaises avant de les porter chez le tapissier, de sorte que je peux toujours apporter des retouches si la peinture a été abîmée.

20. Une fois les assises tapissées, dépoussiérez puis passez deux couches de vernis acrylique ou à l'huile, en laissant bien sécher après chaque couche.

Boîte à chapeau rayée

Un simple motif rayé rose sur un fond plus pâle transfigure une vieille boîte à chapeau qui va égayer cette collection.

Il vous faudra

*Boîte à chapeau ou à képi métallique,
    décapée et poncée*
Antirouille
Petits pinceaux plats
*Vernis (gomme-laque)
    et vieux pinceau*
Apprêt acrylique blanc
Liquide vaisselle
Crayon
Émulsions mates rose pâle et rose vif
Règle plate
Adhésif de masquage
Brosse à tableau n° 8
*Vernis acrylique satiné
    ou vernis à l'huile*

1. Dépoussiérez le support et assurez-vous que le couvercle s'ouvre facilement. Tenez-le ouvert pendant une heure, le temps que la première couche

d'antirouille sèche. Passez une seconde couche. Laissez sécher une nuit.

2. Vous pouvez, si vous le souhaitez, couvrir d'une couche de vernis gomme-laque à séchage rapide.

3. Passez la sous-couche d'apprêt. Si elle n'accroche pas bien, ajoutez une ou deux gouttes de liquide vaisselle. Laissez sécher puis passez une seconde couche. Laissez sécher.

4. Couvrez la boîte d'au moins deux couches de rose pâle.

5. Après séchage complet (une nuit si possible), dessinez les rayures au crayon. Commencez

par diviser la circonférence en quarts puis en huitièmes.

6. Collez des bandes d'adhésif verticales puis passez le rose vif. Laissez sécher puis passez une seconde couche, voire une troisième si nécessaire. Laissez sécher.

7. Retirez l'adhésif et apportez les retouches nécessaires si un peu de peinture est partie avec. Les bords irréguliers doivent être retouchés au pinceau fin.

8. Laissez sécher puis passez une bonne couche de vernis satiné acrylique ou à l'huile.

AUTRES BOÎTES

La boîte photographiée sur la chaise a été préparée comme précédemment, puis peinte à l'éponge en deux ou trois nuances d'une même teinte et décorée pour aller avec le bureau Regency (voir p. 126).

Les motifs de la boîte plate s'inspirent d'un vieux papier peint du XIXᵉ siècle. Une fois qu'elle est décorée de la sorte, nul ne pourrait deviner qu'elle était à l'origine destinée à contenir un calot de marin.

La splendide boîte de gauche, aux délicates couleurs crème et café au lait, a été peinte à la main, un travail minutieux vu le nombre de boutons de roses réalisés. Elle se marie à merveille avec l'armoire de la page 46.

Chambre victorienne

L'harmonie colorée de cette petite chambre à coucher s'inspire des délicieux tissus utilisés pour les murs et le dessus-de-lit, qui ont également dicté le choix du motif peint sur la coiffeuse. Le bouquet de roses sur l'appui de fenêtre et la boîte à chapeau complètent le thème.

COIFFEUSE

Il vous faudra

Petite coiffeuse décapée et poncée
Apprêt acrylique blanc
Pinceaux plats de 25 mm
Papier de verre 100
Émulsions mates en lavande, ivoire et vieux rose
Vieille cuillère
Colle PVA
Boîte en plastique et couvercle
Papier absorbant
Assortiment de poignées
Crayon
Papier-calque
Adhésif de masquage
Bocal avec couvercle
Tubes d'acrylique en violet profond, violet quinacridone, blanc, ocre jaune et vert-de-gris clair
Brosses à tableau n° 2, 3 et 8
Vernis acrylique mat ou satiné
Cire d'abeille incolore de bonne qualité (facultatif)

Les côtés et le fond de cette coiffeuse 1950 étaient en contre-plaqué, mais nous avons été séduits par la forme onduleuse de la « jupe ». Les poignées d'origine, en plastique, ont été supprimées, et l'on a décapé la peinture brillante qui la couvrait. Nous avons aussi remplacé les côtés et le fond par des panneaux de médium découpés de manière à s'accorder avec la forme de la jupe.

Si vous effectuez une telle opération, il faudra couper les angles à onglet (45°) pour former un cadre à coller et visser sur la coiffeuse. Au cas où le plateau serait voilé, il y aura peut-être un jour entre ce dernier et le fond, qu'il faudra combler.

1. Passez une première couche d'apprêt en diluant éventuellement avec un peu d'eau. Laissez sécher.

2. Poncez toutes les surfaces en faisant bien attention aux arêtes des tiroirs et du plateau ainsi qu'aux panneaux de médium, que la peinture aura rendu rugueux.

3. Dépoussiérez et passez une seconde couche. Laissez sécher. Si l'ensemble est satisfaisant, passez à la peinture lavande,

sinon passez une troisième couche d'apprêt.

4. Peignez en lavande, en suivant le sens du fil du bois. Laissez sécher puis passez une seconde couche.

5. Préparez un glacis en mélangeant une cuillerée à soupe d'émulsion lavande avec la même quantité de colle PVA et quatre volumes d'eau. Déposez environ une cuillerée à café de peinture ivoire sur le couvercle de la boîte dans laquelle vous avez préparé le glacis.

6. Trempez l'extrémité du pinceau dans le glacis puis dans la peinture ivoire ; tapotez énergiquement sur la surface de la coiffeuse, de manière à faire s'écarter les soies. Tournez le pinceau régulièrement pour éviter que les impressions ne se ressemblent trop. Votre peinture devrait être légèrement sèche : essuyez de temps en temps le pinceau sur un papier absorbant, il en restera toujours assez. Procédez ainsi sur toute la coiffeuse, tiroirs compris. Refermez la boîte et mettez le pinceau à tremper dans de l'eau.

7. Installez maintenant les poignées, elles vous aideront à mieux équilibrer le dessin de votre motif.

8. Sur un calque, reportez au crayon les contours d'un motif floral de votre choix. Retournez le papier et repassez le contour au crayon, puis retournez-le à nouveau, mettez-le en place sur le plateau avec de l'adhésif et repassez une nouvelle fois au crayon pour transférer le dessin sur le bois peint.

9. Retirez le calque et repassez au crayon les traits qui auraient été mal transférés. Procédez de même pour la façade des tiroirs.

10. Versez un peu d'eau dans un bocal et déposez un peu du contenu de chacun des tubes d'acrylique sur un couvercle que vous utiliserez comme palette (mieux vaut remettre de la peinture de temps à autre plutôt que de la laisser sécher). Si vous devez interrompre votre travail, remettez le couvercle en place, l'eau contenue dans le bocal évitera que vos couleurs ne se dessèchent trop vite.

11. Commencez à peindre votre motif avec une brosse à tableau. Peignez les pétales des roses dans un violet légèrement plus pâle que celui utilisé pour le cœur : avant que la peinture ne sèche complètement, prenez un peu de blanc sur la pointe du pinceau et peignez des cercles sur les pétales pour les nuancer. Lavez le pinceau puis passez du blanc pur sur l'extérieur de certains pétales pour les rehausser. Vous ne ferez pas

immédiatement « surgir » les roses, il faudra passer plusieurs couches pour qu'elles prennent une apparence réaliste.

12. Peignez les marguerites en ocre jaune puis les feuilles en vert, en passant ensuite du blanc comme précédemment. Peignez aussi quelques nervures et rehaussez certaines feuilles.

13. Prenez une brosse n° 2 pour peindre les rubans en procédant comme indiqué aux pages 128-129. Travaillez avec deux émulsions : un rose sombre et un rose plus pâle, obtenu en ajoutant un peu de blanc à la première couleur. Laissez sécher.

14. Avec une brosse n° 8, passez le rose sombre le long

des bords du dosseret et de la jupe de la coiffeuse.

15. Après séchage, passez deux couches de vernis acrylique sur toute la coiffeuse, en laissant bien sécher après chaque couche. Après séchage, vous pouvez aussi passer une cire d'abeille incolore puis lustrer.

CHAISE ASSORTIE

Comme pour la coiffeuse, la teinte lavande très claire passée en fond fait bien ressortir les couleurs plus intenses utilisées pour les décorations. L'assise, au tissu d'une fraîcheur toute printanière et à la bordure en cordon doublé, donne à l'ensemble une allure très stylée.

Prenez une chaise nue, décapée et poncée, et traitez-la exactement comme vous l'avez fait pour la commode aux étapes 1 à 4.

1. Mettez des gants fins, trempez une petite éponge naturelle dans de l'eau et essorez-la légèrement. Trempez un coin de l'éponge dans le glacis déjà préparé, puis dans la peinture ivoire déposée au préalable sur un couvercle, et peignez la chaise en reprenant régulièrement du glacis et de la peinture. Lavez vite l'éponge avant que la colle ne la durcisse définitivement.

2. Reportez le motif sur le dossier comme vous l'avez fait pour la commode, en faisant attention à bien faire se rencontrer les rubans du devant et ceux du derrière.

3. Peignez votre motif comme précédemment : utilisez l'émulsion rose foncé pour les moulures et les montants transversaux ainsi que pour les rubans et les nœuds. Dessinez cette fois une rose au centre du nœud.

4. Quand vous avez terminé, portez la chaise chez un tapissier, ou tapissez-la vous-même puis passez deux couches de vernis acrylique.

Coiffeuse « 1900 »

Teintée en marron foncé, cette imposante coiffeuse avait au départ l'air bien peu raffiné.
Après décapage, il est devenu évident qu'elle recelait de nombreuses potentialités. Le fond
blanc fait ressortir le bleu passé sur le pourtour. La coiffeuse est habillée d'élégantes
poignées de porcelaine bleu et blanc et constitue un apport appréciable dans une vaste
chambre claire qui manquait de rangements.

Il vous faudra

Une coiffeuse de style analogue à
   celle-ci, décolorée puis poncée
   (voir ci-dessous)
Émulsion mate en blanc lumineux
Boîte en plastique
Pinceau plat de 25 mm
Papier de verre fin (240)
Adhésif de masquage
Bocal avec couvercle
Tubes d'acrylique en bleu outremer
   et blanc

Papier absorbant
Brosse à tableau n° 8
Cire d'abeille incolore
Toile émeri 00
Chiffon doux
Poignées de tiroirs

Très massive, cette coiffeuse
demandait à être un peu allégée
sans rien perdre de la netteté ni
de l'élégance de ses lignes. Il fut
donc décidé de la décolorer puis
de passer un badigeon de blanc.

Après séchage, la peinture a été
poncée pour lui donner une
apparence cérusée.

   La technique utilisée pour
cette opération est simple,
rapide, peu coûteuse et efficace,
mais nécessite un bois au grain
assez ouvert (tel que celui du
chêne) et bien préparé, ce qui
signifie qu'il doit être clair et
propre.

   Nous avons commencé par
retirer le miroir et toutes les

poignées avant de décaper avec
un produit adapté au retrait de
teintures et de vernis.

   Nous avons ensuite poncé la
coiffeuse (tout d'abord avec une
ponceuse électrique et du papier
de verre 100, puis à la main en
faisant bien attention aux
moulures et aux bords des
tiroirs).

   Après dépoussiérage, le
meuble a été décoloré.

   Lorsque vous utilisez un produit

Sur les photos on voit que la première couche est plus pâle que la seconde, car dans l'intervalle j'ai changé d'avis et préféré un bleu plus intense.

9. Terminez en peignant un nœud et des rubans sur la partie supérieure du dos de la coiffeuse. Le secret consiste à peindre le ruban en plusieurs portions distinctes, ce qui donne un effet de volume.

Remettez de l'outremer sur votre palette et déposez un peu de blanc à côté. Mélangez partiellement ces deux couleurs en y ajoutant un peu d'eau. Travaillez avec le pinceau n° 8, que vous essuierez ensuite sur le rebord de la palette avant de le tremper dans le bleu. Retournez le pinceau pour charger l'autre côté en blanc. Ne prenez pas trop de peinture à la fois.

Chacune des deux grandes boucles a été peinte en trois parties, en commençant par le centre et en travaillant vers la droite d'abord (voir p. 129). Commencez par la partie supérieure.

Posez la pointe du pinceau sur le bois et tracez un trait fin avant d'augmenter progressivement la pression exercée sur le pinceau pour élargir le trait. Arrêtez-vous juste après le sommet de la courbe. Rechargez le pinceau et commencez la partie inférieure en démarrant encore au centre par une tige fine que vous

qui décolore le bois, il est essentiel de respecter les conseils d'emploi du fabricant puis de bien laisser sécher.

1. Retirez les poignées des tiroirs et dépoussiérez à fond avec un aspirateur.

2. Versez un peu d'émulsion blanche dans une boîte en plastique et diluez-la légèrement avec de l'eau. Passez ce mélange sur le cadre, en peignant dans le sens du bois.

3. Remettez les tiroirs en place et peignez-les comme le cadre. Veillez à ce que la couche soit bien régulière. Ouvrez légèrement les tiroirs pour éviter qu'ils ne collent au cadre. Laissez sécher.

4. Poncez toutes les surfaces peintes au papier de verre 240 en travaillant délicatement pour faire pénétrer la peinture dans le grain du bois. Exercez une pression régulière pour éviter d'obtenir des bandes de teintes différentes et travaillez toujours dans le sens du bois. Si le résultat ne vous satisfait pas entièrement, passez une couche de peinture et laissez sécher avant de poncer derechef.

5. Poncez à nouveau, au papier de verre fin, délicatement, sur les bords des tiroirs, du cadre du miroir et tout endroit qui serait normalement plus usagé que le reste.

6. Protégez le miroir avec de l'adhésif de masquage.

7. Remplissez un bocal d'eau et déposez un peu d'outremer sur son couvercle. Préparez du papier absorbant pour effacer immédiatement toute bavure car le bleu tachera très vite le bois.

8. Humectez le pinceau n° 8 pour diluer légèrement l'outremer avant de le passer sur toutes les zones à peindre en bleu – par exemple les moulures, l'intérieur du cadre du miroir et les traverses entre les tiroirs. Retrempez régulièrement votre pinceau dans l'eau. Une fois diluée, la peinture ressemblera un peu à de l'encre ; l'intensité de la teinte est affaire de goût.

élargirez peu à peu. Arrêtez-vous après le point le plus bas de la courbe. Rechargez le pinceau et continuez à peindre à partir de la fin de la section précédente (la boucle inférieure), en commençant par un trait large que vous amincirez en relâchant graduellement la pression exercée pour venir rejoindre l'extrémité de la courbe supérieure.

10. Peignez les boucles de gauche de la même manière, en commençant aussi par la courbe supérieure et en la séparant en plusieurs sections.

11. Terminez par une grosse marque de pinceau au centre, qui figurera le nœud, puis peignez les extrémités du ruban de la longueur qui vous convient.

12. Laissez sécher avant de passer à l'étape suivante.

13. Si vous souhaitez un vrai brillant, passez une généreuse couche de cire claire et attendez une dizaine de minutes avant de faire pénétrer en passant une toile émeri 00. Travaillez dans le sens du bois puis lustrez au chiffon doux.

14. Retirez l'adhésif et remettez les poignées sur les tiroirs.

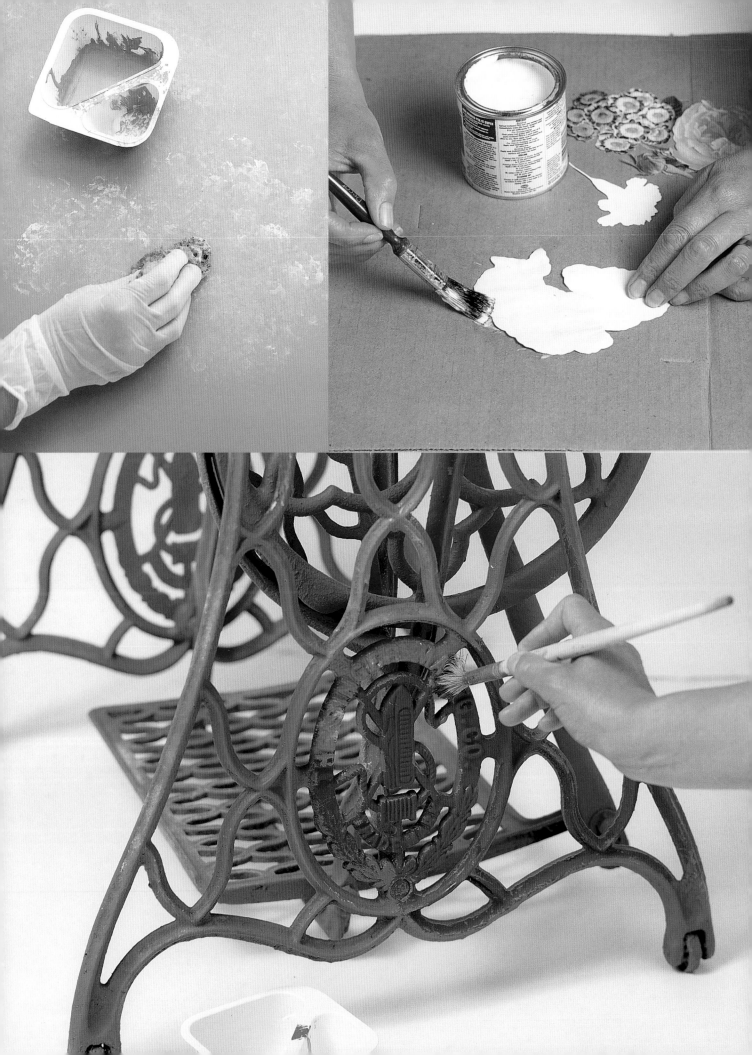

Merveilles d'un week-end

L'utilisation judicieuse de la couleur peut transfigurer la plus ordinaire des pièces. Que vous préfériez un intérieur discret et rustique, sobre et élégant ou bien haut en couleurs, vous trouverez ce qui vous convient dans les pages qui suivent. Le tout est de savoir quel effet vous visez.

Armoire et armoiries

Avant l'arrivée des cuisines intégrées, les meubles de ce type servaient de rangement et de plan de travail. Celui qui nous a servi ici a été récupéré en très mauvais état dans une décharge, mais il montre bien ce que l'on peut faire avec un peu d'imagination, quelques panneaux de bois et de la peinture !

Il vous faudra

Couteau à mastic
Gros cutter
Meuble analogue à celui présenté ici
Papier de verre 100
Vernis (gomme-laque) et vieux
    pinceau
Émulsions mates en noir, blanc, bleu
    paon, vert foncé et brun rouge

Pinceaux plats de 25 mm
Vieille cuillère
Petite jatte
Règle
Craie blanche
Brosses à tableau n° 4 et 8
Tubes d'acrylique en blanc (une
    émulsion peut aussi
    convenir), terre d'ombre, or,
    ocre jaune, rouge vénitien,
    rouge de cadmium moyen,
    pourpre, outremer et or riche
Bocal avec couvercle
Pinceau à filets
Assortiment de poignées neuves
Vernis acrylique satiné ou vernis
    à l'huile

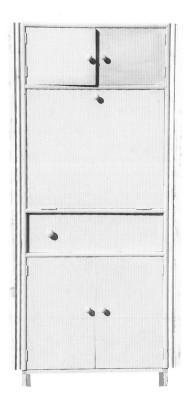

On a ajouté des baguettes moulurées sur le tour du cadre du meuble avant de le coffrer de plaques de contre-plaqué montées sur un cadre pour lui donner plus de largeur. Des plinthes ont ensuite été rapportées sur la partie inférieure. Le style des baguettes a été choisi de manière à doubler les bords déjà existant.

La peinture noire constitue un fond idéal pour un motif d'inspiration médiévale, tandis que le trompe-l'œil de feuilles d'acanthe tranche avec le fond uni. Les baguettes latérales, supérieures et inférieures ont été décorées d'une torsade dorée qui rappelle la couleur des pompons peints sur la porte. Le tout contribue à l'évocation d'une atmosphère médiévale, les fils d'or étant à l'époque couramment utilisés dans les tissus, comme on le voit encore aujourd'hui dans les étoles ecclésiastiques. L'écusson à blason et les poignées complètent cet effet.

1. Achevez de retirer la peinture accumulée dans les renfoncements des reliefs du meuble, en travaillant de la pointe d'un gros cutter ou d'un couteau à mastic. Poncez ensuite au papier de verre 100, dans le sens du bois. Poncez aussi les arêtes vives des panneaux de contre-plaqué. Vérifiez que les portes s'ouvrent facilement et nettoyez le meuble.

2. Si votre meuble est teinté et sombre, passez deux couches de vernis gomme-laque pour éviter que la teinture ne vienne tacher votre peinture (voir p. 7).

Laissez bien sécher après chaque couche.

3. Appliquez l'émulsion noire puis entrouvrez les portes et ouvrez l'abattant afin de peindre les tranches et éviter qu'elles ne collent en séchant. Entrouvrez aussi les tiroirs ou retirez-les.

Passez plusieurs couches en laissant bien sécher après chacune, jusqu'à ce que le résultat soit assez « dense » à vos yeux.

4. Ouvrez le meuble pour en peindre l'intérieur. Déposez une cuillerée à soupe de pigment ocre dans une jatte, en prenant garde de ne pas en respirer ; mélangez avec un peu d'eau. Ajoutez trois ou quatre cuillerées à soupe d'émulsion blanche et mélangez bien. Vous devez obtenir une couleur intense. Peignez l'intérieur en faisant bien attention à la jonction avec le noir. Passez une seconde couche après séchage. Retouchez le noir si nécessaire.

Il vous faut donc avant tout décider de quel côté seront les ombres et de quel côté seront les rehauts. Commencez par peindre les ombres avec l'émulsion vert foncé ou bien avec le bleu paon mélangé avec un peu de noir.

8. Ajoutez un peu de blanc dans le bleu paon et utilisez ce mélange pour rehausser le côté des feuilles opposé à celui des ombres. Prenez du recul pour observer l'effet produit. Reprenez le travail en marquant bien l'opposition entre ombres et rehauts.

9. Tracez à la craie les torsades sur les moulures, en veillant à ce que les deux extrémités se rejoignent bien.

10. Versez de l'eau dans un bocal et déposez un peu de terre d'ombre et de peinture acrylique or sur le couvercle. Mélangez partiellement les deux couleurs en diluant avec une ou deux gouttes d'eau.

11. Chargez régulièrement le pinceau à filets avec le mélange fabriqué précédemment. Commencez par le sommet d'une moulure latérale en appliquant bien toute la longueur des soies sur le trait. La craie accélère la dessiccation de la peinture en l'absorbant, si bien qu'il faudra en reprendre régulièrement sur votre pinceau. À chaque fois que vous soulevez le pinceau, reposez-le un peu en arrière du point d'arrêt. Continuez ainsi jusqu'à l'achèvement des moulures

5. Sur les moulures, reportez des marques tous les 15-20 cm. Dans les intervalles ainsi définis, dessinez des feuilles d'acanthe à la craie. Débutez votre dessin par le centre pour assurer la symétrie.

6. Peignez ces feuilles en bleu paon avec une brosse n° 8.

7. L'effet de volume d'un trompe-l'œil doit beaucoup à l'utilisation d'ombres peintes.

centre du bord supérieur de l'écusson. Tracez une autre marque 23 cm plus bas, elle indique la pointe de l'écusson, dont vous tracerez la forme à la craie et à main levée. À l'aide d'une règle, divisez la surface de l'écusson en quatre. Vous pouvez effacer toutes vos erreurs jusqu'à ce que le résultat vous convienne.

Nous avons choisi le bleu et le rouge, mais vous êtes libre de préférer d'autres couleurs. Peignez ombres et rehauts sur les pompons exactement comme pour les feuilles d'acanthe. Les couleurs de l'écusson doivent être bien affirmées (passez autant de couches qu'il est nécessaire, pour effacer les traces de pinceau et obtenir une couleur bien dense). Une fois que vous avez dessiné le motif du

« tissu », peignez les feuilles en brun rouge, puis chargez votre pinceau à filets de peinture or avec laquelle vous tracerez les contours de l'écusson ainsi que les fils d'or sur les cordons des pompons.

13. Pour finir, passez deux couches de vernis sur toute la surface du meuble, en laissant bien sécher après chaque couche.

parallèles (sauf en bas, où il n'y en a qu'une seule). Laissez sécher puis installez les poignées.

12. Pour le dessin du blason, divisez l'abattant en deux d'un trait de craie vertical. Faites une marque à 10 cm en dessous de la poignée, elle matérialise le

Tête de lit aux roses

Cette somptueuse guirlande de roses à l'aspect parcheminé a été réalisée par découpage-application sur un panneau de médium peint dans des couleurs de vieux lin ou de chintz. Le dessin se marie bien avec les autres motifs floraux de la chambre ainsi qu'avec les draps à l'ancienne.

Il vous faudra

Tête de lit en médium
Apprêt acrylique blanc
Pinceaux plats de 25 mm
Papiers de verre 100 et 240
Émulsions mates en ivoire, crème, chocolat et brun clair
Vieille cuillère
Boîte en plastique avec couvercle
Colle PVA
Tube d'acrylique blanche
Petite éponge naturelle
Papier absorbant
Gants fins
Brosse à tableau n° 8 ou pinceau de soies naturelles de 10 mm
Petits ciseaux pointus
Papier peint avec roses, boutons, feuilles
Règle ou mètre ruban
Craie blanche
Adhésif repositionnable
Pinceau de 15 mm pour passer la colle
Colle pour papier peint lourd
Cutter
Petit récipient plein d'eau
Chiffon imbibé d'huile de lin
Vernis acrylique satiné utilisable sur du papier

Si vous disposez d'un vernis à l'huile ne jaunissant pas, vous pouvez l'utiliser à la place du vernis acrylique, mais faites un test préalable vers le bas du panneau, qui sera dissimulé par les oreillers. Si vous ne le trouvez pas trop sombre, passez-le sur votre décor : les fleurs, pâles, absorberont en partie la couleur. Il est toutefois préférable de passer d'abord deux couches de vernis acrylique. Respectez toujours les temps de séchage indiqués par le fabricant.

Vous pouvez aussi choisir de vieillir votre décor avec un vernis à craqueler (voir p. 11) après avoir soigneusement isolé le motif floral de deux couches de vernis acrylique.

1. Couvrez le devant et l'arrière de la tête de lit ainsi que le cadre avec l'apprêt blanc, dilué avec un peu d'eau si nécessaire. Laissez sécher.

2. Poncez au papier de verre 100 en suivant le sens du bois si la tête de lit est en bois, c'est-à-dire horizontalement pour le panneau central et le haut du

cadre et verticalement pour les montants. Le médium devient assez rugueux une fois peint : poncez jusqu'à ce qu'il soit lisse au toucher.

3. Dépoussiérez avant de passer une nouvelle couche d'apprêt encore diluée avec un peu d'eau si nécessaire. Laissez sécher.

4. Prenez le papier de verre fin pour poncer à nouveau la tête de lit et le cadre jusqu'à ce qu'ils soient bien lisses – peu importe si les arêtes ressortent. Dépoussiérez.

5. Peignez toute la tête de lit avec l'émulsion ivoire, en laissant bien sécher avant de passer une seconde couche.

6. Préparez un glacis avec deux cuillerées à soupe d'émulsion ivoire, la même quantité de colle PVA et quatre volumes d'eau. Mélangez bien.

7. Déposez sur le couvercle une cuillerée d'émulsion crème, une cuillerée à café d'émulsion chocolat et une toute petite quantité du brun clair et de l'acrylique blanche.

8. Humectez l'éponge puis essorez-la légèrement. Mettez des gants fins, trempez un coin de l'éponge dans le glacis puis dans la plus petite quantité possible d'émulsion chocolat. Peignez alors une veinure en diagonale, en ne travaillant que de l'extrême pointe de l'éponge. Ne cherchez pas encore à obtenir un effet de « peinture à l'éponge ».

9. Retrempez l'éponge dans le glacis puis prenez un peu de peinture crème à appliquer de chaque côté de la veinure, dont vous adoucirez ainsi les bords. Recommencez la même opération en prélevant cette fois du glacis puis du blanc et en peignant par-dessus la veinure. Recommencez jusqu'à ce que le résultat vous convienne. Prenez du recul, observez votre tête de lit à distance, et vous verrez aisément quels endroits ont besoin d'être retouchés. Laissez sécher un peu avant de repasser une couche. Cette technique vous permet de modifier toute la surface du support et de changer plusieurs fois d'avis... dans les limites du raisonnable ! Si le résultat est trop sombre, ajoutez du blanc, s'il est trop pâle, foncez-le. Passez deux ou trois couches pour donner de la profondeur à votre peinture. Laissez sécher et lavez vite l'éponge avant que la colle ne la transforme en pierre.

10. Refermez le bocal. La peinture finira probablement par couler dans le glacis, mais cela n'a pas grande importance. Vous en aurez sûrement besoin sous peu pour retoucher votre travail.

11. Ombrez maintenant l'intérieur du cadre avec une émulsion brun clair passée au pinceau n° 8. Il vous faudra peut-être deux couches. L'un des côtés, situé « dans la lumière » pourra être plus clair que le second, qui figurera le côté « à l'ombre ». Essuyez au papier absorbant humide toute coulure de brun sur la peinture crème.

12. Reprenez le pinceau de 25 mm pour peindre le reste du cadre en chocolat, en tirant beaucoup la peinture diluée. Ne chargez que légèrement l'extrême pointe de votre pinceau. Vous devriez pouvoir passer plusieurs fois le pinceau dans la peinture déjà déposée, jusqu'à obtention d'un bel effet lissé. Si la peinture sèche avant que vous ayez fini, reprenez-en sur la pointe du pinceau et continuez. Laissez sécher puis ombrez par endroits le cadre en brun clair, en tirant jusqu'à ce que la peinture soit presque sèche.

13. Utilisez la même technique avec le blanc, que vous passerez presque sec en essuyant votre pinceau sur un papier absorbant s'il semble trop chargé en peinture fraîche. Vous obtiendrez

ainsi une allure cérusée très rustique. Laissez sécher.

Découpage-application

La préparation du motif sera plus facile avec la tête de lit en position verticale, tandis que le collage des papiers se fera plus aisément avec le support placé à l'horizontale.

14. Découpez dans votre papier-cadeau un grand nombre de roses et un nombre plus grand encore de feuilles (pour la technique du découpage, voir p. 84). Rien ne vous empêche de refaire la forme de certaines feuilles qui ne conviendraient pas. Découpez aussi de nombreux boutons, dont certains munis de belles tiges, qui pourront servir à fermer les guirlandes tout en apportant du contraste.

15. Faites un trait de craie au centre du bord supérieur de la partie rectangulaire de la tête de lit, là où vous placerez les plus belles des roses découpées.

16. Commencez la composition du motif floral en collant d'abord (avec de tout petits morceaux d'adhésif repositionnable) les plus grosses pièces découpées. Installez en premier les plus grosses roses ainsi que les feuilles des angles et du centre. Remplissez progressivement l'espace à couvrir. Glissez

l'extrémité des tiges sous les roses. Prenez du recul pour observer votre travail puis remplissez les vides avec autant de fleurs que possible. N'oubliez pas qu'une vraie guirlande comprend beaucoup plus de feuilles que de fleurs, ces dernières étant même souvent en partie cachées par les premières. Jouez ainsi avec votre guirlande jusqu'à ce que l'effet général vous semble équilibré. Prenez du recul une dernière fois pour bien vérifier.

17. Tracez soigneusement à la craie le contour des pièces découpées qui seront à coller directement sur la tête de lit (il suffit que l'on distingue le trait de craie), pour vous aider à les remettre en place après les avoir encollées.

18. Installez la tête de lit à plat sur un plan de travail. Commencez toujours par les découpages à coller directement sur le support, ce qui signifie que vous travaillerez le plus souvent de l'extérieur vers le centre. Retirez les pièces découpées et placez-les à l'envers sur une table à tapisser.

19. Encollez le premier découpage en commençant par le centre et en vous assurant que toute la surface est bien couverte de colle, bords compris. Prélevez-le de la pointe d'un cutter et installez-le sur la tête de lit en vous repérant au

contour tracé à la craie.

20. Pour chacun des découpages, lissez bien à plat en partant du centre pour chasser bulles d'air et paquets de colle. Travaillez les doigts légèrement humides, ce qui limite les risques de déchirement du papier. Essuyez les débordements de colle au papier absorbant mais gardez le vrai travail de nettoyage pour plus tard, lorsque, la colle ayant bien séché, le papier sera plus résistant. Lorsque que vos doigts deviennent trop collants, rincez-les pour éviter qu'ils n'altèrent la surface imprimée du papier. Repassez sur les bords en appuyant fermement.

21. Une fois tous les découpages mis en place, laissez sécher avant de nettoyer au papier absorbant humide.

22. Dépoussiérez avec un chiffon imbibé d'huile de lin avant de passer le vernis. C'est le moment de recoller les bords qui se seraient soulevés.

23. Passez au moins dix couches (plus si possible) de vernis acrylique (ce produit sèche très vite, ce qui permet de passer plusieurs couches en une seule journée). Le nombre de couches dissimule le fait que votre motif est collé, et lui donne au contraire une apparence de profondeur.

Table basse indienne

Lorsque nous l'avons achetée, cette robuste table basse avait été très abîmée par de l'eau. Si abîmée, en fait, qu'aucun ponçage, aussi profond fût-il, n'avait pu la remettre en état. Nous avons donc choisi de couvrir le désastre d'un motif coloré inspiré des tapis orientaux et assorti aux coussins de soie de la page 58.

Il vous faudra

Table en bois
White-spirit ou papier de verre 100
Vernis (gomme-laque)
    et vieux pinceau
Règle
Craie blanche

Apprêt acrylique blanc
Pinceau plat de 15 mm
Crayon
Papier-calque
Adhésif repositionnable
Vieille assiette
Émulsions mates et/ou acrylique
    en tube de couleurs riches

telles que bleu vif, vert jade,
    pourpre, orangé, rose, rouge
    et ocre jaune
Tube d'acrylique couleur
    « vieil étain »
Brosses à tableau n° 7, 3 et 2
Cire blanche (facultatif)
Alcool dénaturé

Cire d'abeille incolore
Chiffon doux

Si vous désirez effacer des taches d'eau sur un meuble, commencez par demander un devis à un professionnel. Un artisan m'ayant dit que la suppression des taches ne serait pas possible dans ce cas précis, j'ai décidé de résoudre le problème seule, et le résultat a dépassé mes espérances.

Commencez par poncer la surface à peindre avec un papier de verre aussi fin que possible, en travaillant dans le sens du fil du bois. Si la tache semble s'estomper, continuez. Lorsque vous avez l'impression qu'il est temps de vous arrêter, couvrez d'une généreuse couche de cire d'abeille naturelle. Laissez sécher une dizaine de minutes puis poncez avec une nouvelle feuille de papier de verre 00 pour bien faire pénétrer la cire dans le bois. Cirez à nouveau, laissez sécher puis lustrez au chiffon.

Si rien ne vient à bout de la tache, couvrez-la d'un motif très coloré comme celui qui est présenté ici. Utilisez soit une émulsion mate, soit des tubes d'acrylique. Si vous travaillez avec une émulsion, il vous faudra passer plus de couches avant que les traces de pinceau ne se voient plus et pour atteindre la même profondeur qu'avec de l'acrylique en tube.

1. Si votre table est cirée, commencez par la « décirer », soit en passant du white-spirit soit en la ponçant au papier de verre 100 (ou plus fin), en travaillant toujours dans le sens du bois. Le ponçage permet en outre à la peinture de bien accrocher sur le support.

2. Passez du vernis gomme-laque pour éviter que la teinture du bois ne vienne tacher la peinture que vous passerez plus tard, ce qui arriverait quel que soit le nombre de couches.

Passez deux couches de vernis, en laissant bien sécher après chacune. Efforcez-vous de ne pas repasser plusieurs fois au même endroit, pour éviter l'apparition de zones plus foncées que d'autres.

3. Après séchage, tracez à la craie un rectangle qui servira de cadre à votre motif.

4. Couvrez cette surface d'une couche d'apprêt blanc. Laissez sécher puis passez une seconde, voire une troisième couche, en laissant bien sécher après chacune. Ce fond blanc fera ressortir vos couleurs en les ravivant.

5. Reportez maintenant sur la table le motif de votre choix préalablement dessiné sur un calque. Vous pouvez agrandir le modèle proposé ci-contre, inspiré de divers motifs très ornés vus sur des tapis orientaux mais rien ne vous empêche d'en choisir d'autres, voire de créer un modèle original.

6. Retournez le calque et repassez le motif au crayon, puis retournez-le à nouveau et répétez l'opération sur le recto, après avoir fixé le papier sur la table à l'aide d'un adhésif repositionnable.

7. Pendant que vous tracez, vérifiez de temps en temps que le transfert se fait bien sur le bois peint. Le fond blanc devrait vous faciliter le travail.

8. Retirez le calque et retouchez le motif au crayon, de manière à obtenir des lignes bien nettes.

9. Déposez une petite quantité des couleurs choisies dans une vieille assiette qui vous servira de palette.

10. Débutez la peinture du motif avec des pinceaux fins (n° 2 et 3) pour les traits fins et les zones étroites, et un pinceau plus gros (n° 7) pour les surfaces plus importantes. Laissez sécher une couleur avant d'en passer une qui la touche, pour éviter qu'elles ne se mélangent. Le résultat n'en sera que mieux défini. Il vous faudra probablement plusieurs couches avant que les traces de pinceau ne soient plus visibles. La superposition de couches apportera en outre une profondeur et une intensité accrues à votre peinture.

11. Terminez par la couleur du fond et peignez une bordure d'une couleur différente (nous avons ici choisi un pourpre vif et un rose tirant sur le rouge). Prenez du recul pour observer l'effet général, et apportez les retouches nécessaires. Laissez sécher.

12. Choisissez une couleur assortie à votre motif pour peindre les pieds de la table (ici, nous avons opté pour un bleu vif).

13. Protégez le plateau et les pieds en les couvrant de cire blanche. Si vous souhaitez un effet plus vieilli vous pouvez choisir un vernis gomme-laque, éventuellement dilué d'un peu d'alcool dénaturé. Quel que soit le produit choisi, il faudra faire attention aux coulures sur les bords, car ces deux produits sont très liquides. Laissez sécher.

14. Le lendemain, passez une bonne couche de cire d'abeille incolore sur toute la table, pieds compris. Attendez 10 minutes avant de lustrer au chiffon doux. Le résultat sera spectaculaire.

Table de machine
à coudre Singer

Les tables de machine à coudre sont le plus souvent noires. Nous avons trouvé que ce vert, qui rappelle le vert-de-gris, était plus attrayant, et avons préféré remplacer le plateau de la table par un plateau en médium dont le devant a été découpé en vagues, que nous avons ensuite peint à l'éponge en imitation marbre.

Il vous faudra

Table de machine à coudre Singer
Vernis (gomme-laque) et vieux
    pinceau
Brosse métallique
Antirouille
Pinceaux plats de 25 mm
Liquide vaisselle
Vieille cuillère
Émulsions mates en vert jade, blanc
    et vert-jaune pâle
Petites boîtes plastique avec
    couvercles
Petit pinceau de soies naturelles
Talc
Plateau de médium de 84 x 43 cm
    en son point le plus étroit
Papier de verre fin
Colle PVA
Petite éponge naturelle
Papier absorbant
Gants fins
Vernis acrylique

1. Installez-vous si possible dehors pour bien décaper le piétement de la table.

2. Si le piétement est peint en noir et que la peinture est en bon état, contentez-vous de le couvrir d'une couche de vernis que vous laisserez sécher (cette phase est rapide).

3. Si le piétement est rouillé, il faudra le gratter à la brosse métallique (pensez à mettre des lunettes de protection pour ne pas recevoir d'éclats de rouille dans les yeux). Passez ensuite une couche d'antirouille, que vous laisserez sécher environ une heure. Vérifiez que tous les petits recoins ont bien été peints. Si nécessaire, passez une seconde couche. Laissez sécher une nuit.

Le lendemain, couvrez la table de deux couches d'apprêt acrylique blanc, en laissant bien sécher après chacune. Si la première couche n'accroche pas

bien, versez une ou deux gouttes de liquide vaisselle dans la peinture.

4. Déposez une petite quantité d'émulsion vert jade dans

une boîte en plastique et un peu d'émulsion blanche dans une autre. Peignez le piétement en vert jade, en tapotant de la pointe d'un pinceau de soies naturelles.

N'hésitez pas à appuyer (plus le résultat est irrégulier et mieux cela vaut). Trempez la pointe du pinceau dans le blanc et saupoudrez d'un peu de talc de temps à autre. Continuez ainsi

sur tout le piétement.
Laissez sécher.

5. Vérifiez bien qu'aucun recoin n'a été oublié. Apportez les retouches nécessaires en portant une attention toute particulière à la pédale, dont les motifs sont les plus ouvragés. Laissez sécher.

6. Repassez une nouvelle couche sur le logo Singer ainsi que sur les endroits les plus visibles du piétement.

7. Passez maintenant au plateau, que vous allez couvrir de deux couches d'apprêt acrylique blanc, en n'oubliant pas les chants. Diluez la peinture avec un peu d'eau si nécessaire. Laissez sécher avant la deuxième couche. La peinture aura rendu le médium un peu rugueux, aussi faut-il maintenant le poncer au papier de verre fin. Dépoussiérez.

8. Retournez le plateau pour peindre le dessous comme précédemment.

9. Couvrez le dessus et les chants avec l'émulsion vert jade. Laissez sécher puis passez une seconde couche. Laissez sécher puis procédez de même pour le dessous.

10. Préparez un glacis en mélangeant une cuillerée de vert jade et une de colle PVA avec quatre volumes d'eau. Déposez un peu d'émulsion blanche dans

un autre récipient. Trempez l'éponge dans l'eau puis essorez-la légèrement.

11. Mettez vos gants pour tremper l'éponge dans le glacis avant de prélever un peu de peinture blanche. Tracez avec l'éponge des lignes ondulées traversant le plateau en diagonale. Les lignes doivent être irrégulières, de manière à tantôt couvrir complètement le fond et tantôt le laisser transparaître. Lorsque le résultat vous satisfait, laissez sécher un peu puis

versez une petite quantité d'émulsion vert-jaune sur un couvercle.

12. Trempez l'éponge dans le glacis puis dans le vert et, avec ce mélange, dessinez les veines du marbre. Lorsque le résultat vous convient, vous pouvez repasser les couleurs des premières veines, pour adoucir un peu l'effet. La superposition de deux ou trois couches crée un effet de volume et de profondeur. N'oubliez pas de faire descendre les veines sur le

chant du plateau, puisqu'on les verrait ici aussi s'il s'agissait de vrai marbre.

13. Lavez vite l'éponge à l'eau pour éviter que la colle ne la durcisse définitivement. Laissez sécher le plateau avant de le fixer sur le piétement puis attendez encore un jour ou deux avant de le couvrir d'une ou deux couches de vernis acrylique.

Pare-feu en trompe-l'œil

Vous pouvez décorer un foyer vide en y installant un vase de fleurs séchées ou bien choisir de le masquer par ce splendide trompe-l'œil imitant un pot de métal rempli de fleurs diverses (qui sont en fait collées par découpage-application). L'effet sera saisissant.

Il vous faudra

Apprêt acrylique blanc
Pinceaux plats de 25 mm
Panneau de médium
Boîte en plastique
Papier de verre fin
Émulsions mates : une couleur très
    sombre pour le fond (noir, gris
    bleu très foncé, vert sapin...),
    crème, brun clair (vous pouvez
    remplacer cette dernière par de
    l'acrylique terre d'ombre en tube
    mélangée à un peu de blanc)
Craie blanche
Règle plate

Tubes d'acrylique en gris de
    Payne et blanc (ou bien
    émulsions mates noire et
    blanche)
Brosses à tableau n° 7, 3 et 4
Petits ciseaux pointus
Papier d'emballage épais
    à motif floral
Adhésif repositionnable
Table à tapisser
Petit pinceau pour encoller
Colle pour papier peint lourd
Cutter
Papier absorbant ou petite
    éponge
Chiffon à dépoussiérer

Vernis acrylique satiné utilisable
    sur du papier

1. Passez une première couche d'apprêt sur les deux faces du panneau. Tapotez de la pointe du pinceau pour les rebords. Si la peinture est trop épaisse, diluez-la avec un peu d'eau dans un récipient. Laissez sécher.

2. Poncez au papier de verre en travaillant toujours dans le même sens. Insistez sur les chants, que la peinture aura rendu rugueux. Déchirez un morceau de papier

de verre que vous plierez en forme de cône pour accéder aux recoins découpés. Dépoussiérez.

3. Passez une seconde couche d'apprêt sur tout le panneau puis mettez ce dernier à la verticale et laissez sécher.

4. Avant de passer l'émulsion sombre, commencez par repérer où vous voulez marquer la séparation entre le pot et les fleurs. Peignez d'abord l'arrière et les chants en remontant par-dessus ces derniers pour éviter

une accumulation de peinture. Rattrapez les coulures sur les chants. Tracez la limite entre le pot et les fleurs en peignant cette fois-ci en travers du panneau et en appliquant très peu de peinture, de manière à laisser voir la couche d'apprêt. Laissez une bande de quelques centimètres qui matérialisera le rebord arrondi du pot et une autre pour le col du pot (que vous rehausserez plus tard). Décidez alors quel côté sera « dans la lumière » et lequel sera « dans l'ombre », pour parfaire l'effet de trompe-l'œil (voir p. 9). Passez le fond sombre en peignant verticalement. Laissez sécher.

5. Passez une seconde couche sur le haut et le bas du devant ainsi que sur l'arrière et les chants.

6. Tracez à la craie le contour du pot et utilisez une règle pour marquer les arêtes de la pierre sur laquelle il repose (voir photo ci-contre).

7. Travaillez les ombres en passant un mélange de gris de Payne ou de noir dilué avec un tout petit peu d'eau pour faire ressortir la zone sombre sous le rebord supérieur, sous le pot ainsi qu'entre les cannelures horizontales du col (qui seraient, logiquement, moins éclairées que le reste).

8. Mélangez un peu de la couleur du fond avec du blanc (acrylique ou émulsion) pour rehausser le pot et les rebords. Éclaircissez encore la couleur pour les ornements les plus hauts. Il n'est pas nécessaire de nettoyer votre pinceau entre chaque étape, ne le lavez que lorsque que vous voulez passer du blanc pur.

9. Peignez le devant et le côté de la pierre en brun clair et gris (émulsion ou acrylique) et utilisez le brun clair pour la partie supérieure. Rehaussez les arêtes avec de la peinture crème.

10. Prenez un petit pinceau (n° 3 ou 4) pour retoucher l'ensemble et accentuer le réalisme de l'ouvrage. Prenez du recul, les zones à retoucher vous apparaîtront immédiatement. Vous pourrez encore apporter des rehauts destinés à améliorer le trompe-l'œil une fois le reste du travail accompli. Vous n'avez plus qu'à fleurir ce pot !

DÉCOUPAGE-APPLICATION

Tirez le meilleur parti possible de l'élégance du panneau et n'oubliez pas que les fleurs ont toujours tendance à retomber un peu, ce qui est encore plus vrai des roses et des grosses fleurs. Les petites fleurs et les boutons, les plus fragiles, pourront être apportés par la suite, pour équilibrer l'ensemble.

11. Découpez un grand nombre de fleurs et de feuilles. Cherchez en particulier des fleurs munies de tiges et découpez également des tiges et feuilles seules (qui peuvent être redécoupées par la suite) ainsi que des boutons, des papillons et deux ou trois tiges particulièrement longues qui ajouteront à l'effet de naturel.

12. Commencez la composition du motif en fixant chaque pièce découpée avec un petit morceau d'adhésif, ce qui vous permet de travailler en position verticale et simplifie la superposition des

découpages. Lorsque vous avez fini votre ébauche, prenez du recul pour avoir une meilleure vue d'ensemble et comblez les « trous » rendus ainsi apparents, par l'apport d'un bouton ou d'une petite feuille.

13. Tracez à la craie les contours des pièces découpées. Cette opération, essentielle lorsque l'on superpose plusieurs découpages, facilite beaucoup le replacement des pièces une fois qu'elles ont été encollées.

14. Rassemblez toutes les pièces choisies pour les encoller. Commencez par les plus simples, situées en dessous des autres et sur l'extérieur du motif. Lorsqu'une pièce a été retirée pour être encollée, tracez aussitôt le contour de celle qui est immédiatement en dessous et devient désormais apparente. Retirez les adhésifs au fur et à mesure, retournez les pièces sur la table à tapisser puis encollez-les soigneusement, en travaillant du centre vers l'extérieur et en couvrant d'une couche de colle régulière. Assurez-vous que les bords aussi sont bien encollés.

15. Prélevez les pièces une par une de la pointe d'un cutter (précaution utile pour les plus petites et les plus fragiles). Replacez les découpages dans les emplacements tracés à la craie. Du bout de vos doigts légèrement humides, lissez les pièces que vous collez, en

travaillant du centre vers l'extérieur pour en chasser bulles d'air et paquets de colle. Assurez-vous que chaque pièce est bien collée avant d'appuyer sur les bords.

Rincez-vous les doigts de temps en temps pour enlever la colle, qui risquerait d'altérer la surface imprimée du papier. Si vous déchirez une tige, essayez de la retirer de la pointe du cutter. Si vous n'y parvenez pas, découpez-en une autre de manière à masquer votre erreur. Si vous déchirez une fleur, tout n'est pas perdu : recollez un papillon par-dessus.

Tenez le panneau dans un éclairage rasant pour repérer bulles d'air ou bords mal collés. Vous pouvez remettre un peu de colle sous ces derniers avec la pointe d'un petit pinceau. Une fois que vous avez terminé, laissez bien sécher avant de nettoyer avec une éponge ou un papier absorbant humides.

16. Retouchez si nécessaire les ombres et rehauts du pot. Laissez sécher.

17. Dépoussiérez soigneusement la surface avec un chiffon. Si des bords se sont décollés, c'est le moment de les recoller. Essuyez maintenant toute la surface du panneau.

18. Passez maintenant la laque acrylique, qui aura d'abord un aspect légèrement fluorescent. Travaillez toujours vers l'extérieur,

pour éviter que le pinceau n'accroche les bords des pièces collées. Couvrez toute la surface. Laissez sécher.

19. Dépoussiérez avant de passer une nouvelle couche de laque. Après deux ou trois couches, vous pourrez commencer à la passer en couches plus épaisses, mais toujours régulières. Passez autant de couches que votre temps et votre patience le permettent.

Cinq couches constituent un minimum, dix ou quinze donneront plus de profondeur à votre décor.

Bureau Regency

Ce meuble était au départ une coiffeuse 1950 en acajou. La fluidité des courbes du tiroir central et des pieds nous ont incités à la transformer en bureau Regency. Quelques guirlandes de feuilles, de petits nœuds dorés et un motif floral central, et le tour est joué.

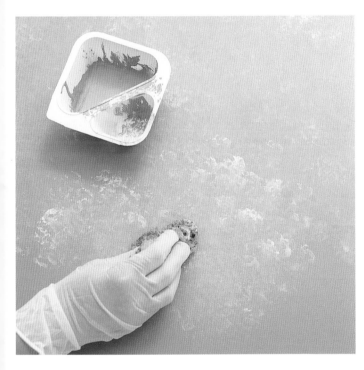

Il vous faudra

Vernis (gomme-laque) et vieux
    pinceau
Alcool dénaturé
Bureau de style analogue, décapé,
    dont vous aurez retiré
    les poignées
Apprêt acrylique blanc
Pinceaux plats de 25 mm
Papier de verre fin (240)
Émulsions mates turquoise et
    turquoise clair
Boîtes en plastique
Vieille cuillère
Colle PVA
Petite éponge naturelle
Papier absorbant
Gants fins
Craie blanche
Papier brouillon
Bocaux avec couvercles
Tubes d'acrylique en vert de
    Hooker, gris de Payne, blanc,
    or et terre d'ombre
Brosses à tableau n° 2 ou 3
Tube de peinture à l'huile terre
    d'ombre
White-spirit
4 ou 5 roses, boutons et fleurs
    découpés dans du papier-
    cadeau épais
Colle à papier peint
Table à tapisser
Vernis à l'huile satiné ou laque
    polyuréthanne
Cire d'abeille incolore
Chiffon doux

Le dosseret de cette table était au départ un triple miroir monté sur pieds. Nous l'avons remplacé par un panneau de médium découpé en un élégant arrondi. Après avoir retiré le dos en acajou nous avons coupé le panneau de contre-plaqué restant 7,5 cm en dessous pour retirer la partie supérieure puis vissé le nouveau dos sur le cadre du meuble. Les jolies poignées ont été retirées (mais conservées) et toutes les surfaces, y compris les façades des tiroirs, ont été poncées à la ponceuse électrique (sauf les pieds et les arrondis, traités à la main).

1. Dépoussiérez à fond avec un aspirateur ou un chiffon humide.

2. Passez une couche de vernis gomme-laque, légèrement dilué avec de l'alcool dénaturé s'il semble trop épais, afin d'empêcher la teinture du bois de remonter et tacher la peinture que vous passerez par la suite (voir p. 7). Laissez sécher avant de passer une seconde couche.

3. Diluez légèrement l'apprêt blanc avec de l'eau et passez-en deux couches en laissant bien sécher après chacune. Peignez dans le sens du bois et évitez les accumulations de peinture sur les arêtes. Laissez sécher.

4. Poncez au papier de verre fin, en insistant particulièrement sur le panneau de médium, que la peinture aura rendu légèrement rugueux.

5. Peignez tout le meuble avec deux couches de la peinture turquoise la plus foncée, en laissant bien sécher après chacune.

6. Préparez un glacis en mélangeant parfaitement deux cuillerées de la peinture turquoise déjà utilisée avec deux cuillerées de colle PVA et quatre volumes d'eau. Déposez un peu de l'autre peinture turquoise dans un autre récipient.

7. Humectez l'éponge puis essorez-la légèrement. Mettez vos gants et trempez l'éponge dans le glacis puis dans la peinture turquoise. Couvrez toute la surface du bureau en tournant régulièrement l'éponge pour éviter la création d'un motif répétitif. La couche du fond doit transparaître légèrement (voir photo p. 127). Rechargez toujours l'éponge en commençant par le glacis. Vous devez obtenir un effet très léger. N'oubliez pas de peindre aussi le dessous du plateau et l'arrière des pieds. Fermez les tiroirs pour les peindre ainsi que le cadre les entourant, puis rouvrez-les pour éviter qu'ils ne collent. Une fois le bureau ainsi peint, laissez sécher complètement et lavez l'éponge avant que la colle ne la durcisse.

8. Remettez les poignées en place, elles vous aideront à réaliser une composition équilibrée.

Peinture du motif : feuilles, nœuds et rubans

9. Faites une marque à la craie pour repérer le centre du panneau arrière puis peignez les guirlandes de feuilles, soit en suivant la courbe du panneau, soit à l'horizontale en divisant ce dernier en sections égales. Marquez de traits de craie le début et la fin de chaque guirlande. Tracez un ovale à main levée.

10. Déposez un peu de vert de Hooker, de gris de Payne et de blanc sur un couvercle qui vous servira de palette.

Pour donner aux feuilles une apparence de volume il faut charger son pinceau de deux couleurs différentes : l'une, foncée pour les ombres, sera prélevée sur l'un des côtés du pinceau, l'autre, claire pour les rehauts, sera prélevée sur l'autre côté. De la pointe d'un pinceau n° 2 ou 3, mélangez une petite quantité de vert et de gris (avec plus de vert que de gris). Essuyez un côté du pinceau contre le rebord du couvercle pour l'aplatir, puis trempez-le dans le blanc. Posez le côté du pinceau sur le support en exerçant une légère pression pour peindre un trait fin et court, puis augmentez la pression pour tracer un trait court en faisant légèrement tourner le pinceau pour figurer la pointe de la feuille, tout en relâchant la pression.

Peignez ainsi les feuilles du dos du bureau puis, pour marquer l'emplacement des rameaux verticaux, tracez des lignes de craie verticales sur la façade des tiroirs, au-dessus des poignées en commençant à environ 1,5 cm en dessous du bord supérieur du tiroir. Le tiroir central porte quatre rameaux. Peignez les feuilles comme précédemment.

11. La peinture des nœuds et des rubans se fait en suivant le même principe que pour les feuilles, mais en n'utilisant que deux couleurs. L'astuce consiste à séparer les boucles en plusieurs sections peintes séparément, qui produiront un effet de volume.

Remplissez d'eau un bocal dans le couvercle duquel vous déposerez un peu de peinture or et terre d'ombre. Mélangez en humectant très légèrement. Essuyez un pinceau fin contre le rebord du couvercle, puis trempez-le dans la terre d'ombre, retournez-le et trempez-le enfin dans l'or, sans trop le charger. Chacune des deux boucles principales est peinte en trois sections distinctes. Commencez par peindre la courbe supérieure de la boucle de droite. Peignez du centre vers l'extérieur. Tracez d'abord une ligne fine (comme pour les feuilles), puis augmentez la pression en tirant le pinceau vers le haut et vers l'extérieur et en vous arrêtant après le sommet de la courbe. Rechargez le pinceau, puis replacez-le au centre pour tracer la courbe inférieure de la boucle. Reprenez de la peinture et posez votre pinceau là où vous venez de vous arrêter. Commencez par un trait appuyé puis relâchez la pression pour aller rejoindre l'extrémité de la partie supérieure. Peignez la petite boucle en deux ou trois sections également et en finissant par un trait de pinceau au centre pour

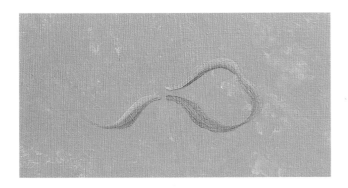

figurer le nœud. Terminez par les bouts flottants à droite et à gauche.

12. Tracez à la craie les petits nœuds et rubans attachés aux rameaux de feuilles, avant de les peindre.

13. Vieillissez le support en ponçant au papier de verre fin le bord supérieur des tiroirs, les arêtes latérales, sous les poignées et les endroits du plateau qui seraient les plus usagés s'il s'agissait d'une vraie antiquité. Dépoussiérez.

14. Préparez une peinture destinée à vieillir tout le meuble, en mélangeant de la peinture à l'huile terre d'ombre (en tube) avec un peu de white-spirit (voir les instructions page 10). Diluez plus si le résultat vous semble trop sombre. Passez sur le meuble, attendez 5 minutes (moins s'il fait chaud) puis essuyez au papier absorbant en commençant par les parties décorées et le

plateau. N'en retirez pas trop dans les renfoncements où la poussière se serait accumulée au fil des ans. Essuyez jusqu'à ce que le papier ne ramasse presque plus rien. Cette peinture donne un aspect vieilli qui atténue le côté criard de la peinture neuve et met en valeur l'usure imitée par le ponçage. Laissez sécher sans toucher au support pour éviter les traces de doigts.

15. Procédez au découpage-application en suivant la procédure expliquée pages 84-85. Après séchage et dépoussiérage, passez une couche de vernis à l'huile ou de laque polyuréthanne et laissez sécher.

Passez une seconde couche en attendant au moins 6 heures, plus si possible. Deux ou trois jours plus tard, vous pouvez cirer à la cire d'abeille incolore puis lustrer au chiffon doux.

Quelques astuces

Rénovez de vieux cadres avec des couleurs lumineuses, transformez une armoire rustique ou retapez de vieilles chaises... toutes les idées décrites maintenant sont conçues pour produire le maximum d'effet avec le minimum d'effort.

Commode Queen Anne

Cette petite commode a été couverte d'un tissu évoquant le style Renaissance. Pompons et galons apportent la touche finale. L'effet est saisissant.

Il s'agissait à l'origine d'une coiffeuse de bois blanc. Très abîmée par les vers, elle disposait cependant de beaux pieds en bon état. La forme d'ensemble était très élégante et le potentiel du meuble semblait évident.

On a remplacé le plateau haricot par un plateau de médium rectangulaire, traité le bois contre les vers et jeté les vieilles poignées avant de poncer puis de couvrir de deux couches d'émulsion mate rouge brique assortie à la couleur du tissu.

Le tissu a été coupé comme suit : une pièce pour le plateau, une pour chaque tiroir, des bandes étroites pour placer sous chacun des tiroirs ainsi que quatre bandes qui ont servi de bandages pour les pieds. Il n'a été découpé qu'après avoir été positionné sur le support pour assurer une bonne harmonie des motifs.

Les poignées de bois ont été peintes d'une teinte assortie au tissu, à travers lequel elles ont été ensuite vissées. Le tissu et les galons sont fixés au pistolet à colle. Les gros pompons apportent la touche finale. Si vous désirez protéger le tissu de la poussière et des taches, pensez à installer un plateau de verre.

Console de toilette « 1900 »

Ce genre de petit meuble se trouve assez communément en salles des ventes. Celui-ci, en acajou, supportait à l'origine un plateau de marbre fissuré que l'on a remplacé par un plateau de médium avant d'y ajouter un joli dosseret.

Peints à l'éponge en ocre, l'ancien et le neuf se marient parfaitement. Si vous choisissez de vieillir le meuble avec du vernis à craqueler, seul un œil expert s'apercevra que le dosseret n'est pas d'époque.

Le principe de peinture adopté ici est semblable à celui expliqué aux pages 82-84. Vous trouverez pages 128-129 la démarche à suivre pour la peinture des rubans et guirlandes de feuilles.

Ce délicieux petit meuble de rangement trouvera sa place dans une chambre, une salle de bains ou bien encore un dressing.

Cadres « 1900 »

Bien que celui de gauche ait été sérieusement abîmé, l'achat de ces deux cadres représentait une réelle affaire. Nous avons remplacé les moulures endommagées par de nouvelles baguettes en plastique, qui peuvent être « maquillées » grâce à un peu de peinture ou de crème à dorer.

Avec ses moulures dorées, le cadre bleu est vraiment une pièce de choix. Il était à l'origine peint en noir ébène et abritait le portrait d'un gentilhomme du début du XXᵉ siècle extrêmement lugubre, susceptible de dissuader un acheteur qui n'aurait pas perçu ce que l'on pouvait faire du cadre.

Nous avons retiré le fond, très épais, ainsi que le papier sali du portrait et gratté des années de poussière et de saleté accumulées avant de bien laver le cadre. Après séchage, le cadre a été couvert de deux couches de cire blanche (une laque aurait aussi fait l'affaire) que l'on a bien laissé sécher.

Nous avons ensuite passé deux couches d'émulsion mate bleu vif (très proche d'un outremer acrylique en tube) qui crée un saisissant contraste avec la dorure des baguettes. Il a ensuite fallu fixer un miroir biseauté de 6 mm d'épaisseur et un nouveau fond en contre-plaqué léger.

Huche à pain

On trouve de tels récipients émaillés dans des brocantes ou chez certains antiquaires. Essayez d'en trouver un dont l'intérieur ne soit pas rouillé, car il faudrait alors le couvrir d'antirouille, ce qui altérerait la nourriture.

Les aérations ont probablement été conçues pour éviter que le pain ne moisisse. Décorée d'un motif rayé tout simple, vert sauge et blanc (émulsions mates), cette huche ne déparerait dans aucune cuisine.

Cafetières

Ces deux élégantes cafetières émaillées ont été achetées lors d'un voyage en France. Pour leur conserver leur charme rustique, nous avons décidé de conserver le fond blanc puis d'y peindre un motif campagnard avec des peintures pour émail « cuites » dans un four de cuisine pour bien les fixer.

Elles peuvent servir telles que vous les voyez là, et passent même au lave-vaisselle.

Poissonnière

Cette poissonnière émaillée blanche a été rénovée grâce à une émulsion mate passée sur un fond d'antirouille. Le motif comprend des rayures rose tendre sur un fond bleu lavande ainsi qu'un décor d'œillets et de brins de lavande, les premiers étant peints dans un « camée » à l'ancienne.

Ce récipient aura fière allure installé sur une commode rustique. Vous pouvez aussi choisir de retirer le couvercle pour le remplir de brins de lavande, d'œillets ou toute autre plante cueillie dans votre jardin. Il est aussi possible d'y installer des pots de fleurs dans lesquels vous aurez planté des géraniums ou toutes autres fleurs de votre choix.

Brocs

Ces deux brocs ont été transformés en pots de fleurs à suspendre sur un mur, en intérieur comme en extérieur. Le premier est décoré d'un motif à carreaux et rayures très moderne tandis que le second, plus traditionnel, a été peint à l'éponge en ocre (voir p. 82-84) puis décoré d'une guirlande de feuilles (voir p. 128-129).

De tels récipients émaillés doivent être soigneusement récurés, rincés et séchés avant d'être peints. Il faut passer deux couches d'antirouille puis deux couches d'apprêt acrylique (dans lequel vous ajouterez une ou deux gouttes de liquide vaisselle s'il ne prend pas bien sur l'antirouille). Terminez par deux couches de l'émulsion de votre choix. Un pot en bon état peut aussi être peint avec une peinture pour émail, que vous fixerez en la cuisant dans votre four.

Installés en extérieur, ces brocs accueilleront des plantes tombantes tandis qu'en intérieur on pourra y déposer des herbes aromatiques, toujours utiles dans une cuisine où elles ajouteront en outre une note parfumée.

Bassine galvanisée

Cette bassine galvanisée a gagné une nouvelle jeunesse grâce à son décor à rayures vert sauge et beurre frais rehaussé de quelques belles cerises rouges à vous mettre l'eau à la bouche, peintes à l'acrylique en tube. Il ne reste plus qu'à remplir la bassine de fruits ou de fleurs séchées. Elle est si réussie que vous pouvez l'exposer seule sur une commode.

Fauteuils Lloyd Loom

Charmante scène d'été qui respire le calme et le bien-être : de confortables fauteuils en rotin, de doux coussins de duvet, le tout dans l'ombre calme des arbres du jardin. Une véritable invitation à s'asseoir et prendre son temps en savourant un thé ou une boisson fraîche.

Ces fauteuils, en piteux état, avaient été peints à maintes reprises. Une fois couverts d'une émulsion mate aux couleurs gaies (rose, mauve et vert) ils ont retrouvé leur attrait. Il vaut mieux peindre de tels meubles en rotin à la bombe ou au pistolet, pour éviter que la peinture ne s'accumule entre les brins.

Sellette à pots de fleurs

Passé de mode depuis quelque temps déjà, ce genre de sellette en fer forgé peinte en blanc s'achète à un prix très modique. Il n'est pourtant pas difficile de lui donner une nouvelle jeunesse et une toute nouvelle allure : il ne nous a pas fallu plus de dix minutes pour la couvrir d'une émulsion mate framboise !

Avant de peindre, assurez-vous que l'objet est parfaitement propre, surtout s'il a été longtemps exposé aux intempéries. Retirez toutes traces de poussière ou saleté. Peignez de la couleur de votre choix puis ajoutez quelques volutes ou rayures sur les pots de fleurs. Une fois les pots remplis de plantes de couleurs vives, cette sellette attirera immanquablement les regards dans le jardin ou dans votre serre.

Armoire de jardin

Les couleurs vives des émulsions mates choisies pour cette petite armoire grillagée rustique lui donnent une allure très pimpante. La porte était à l'origine un panneau de contre-plaqué plein. Nous l'avons remplacé par un cadre grillagé qui met en valeur le contenu du meuble.

Très utile dans une resserre ou un abri de jardin, cette armoire peut même se fixer au mur. Il n'est pas rare de trouver de tels meubles dans des brocantes ou salles des ventes.

Mesures de sécurité

● Lorsque vous travaillez un panneau de médium, il est indispensable de prendre certaines précautions. Que vous le ponciez ou le découpiez à la scie sauteuse, vous allez produire de minuscules particules de poussière qui resteront en suspension dans l'air et que vous risquez donc de respirer, ce qui explique qu'il est nécessaire de porter un masque à poussière et de travailler dans un local bien ventilé.

● Lorsque vous utilisez des vernis ou des solvants, travaillez dans un local bien ventilé. Les émanations dégagées par ces produits peuvent entraîner des pertes de conscience et causer des lésions irréparables. Vous pouvez aussi porter un masque filtrant qui vous protégera de l'inhalation de ces vapeurs.

● Portez toujours des gants de protection lorsque vous utilisez de l'alcool dénaturé, du white-spirit, du vernis ou de la gomme-laque, surtout si vous présentez un terrain allergique ou avez une peau fragile. Ces gants s'achètent par paquets dans n'importe quel magasin de bricolage.

● Lorsque vous poncez une surface peinte, portez un masque à poussière en papier. Très communément disponibles et peu onéreux, ces masques vous éviteront d'inhaler des particules de poussière et de peinture.

● Portez des gants de caoutchouc pour l'utilisation de peinture et de vernis. Les vieilles peintures contiennent du plomb, et il faut savoir que les poisons peuvent pénétrer dans le corps par voie cutanée, tout autant que par le nez ou la bouche.

● La plupart des colles à papier peint contiennent des fongicides susceptibles d'occasionner des irritations et des dermites. Rincez-vous régulièrement les doigts et ne les portez jamais à votre figure lorsque vous travaillez avec de la colle.

● Tenez tous vos produits hors de portée des enfants. Faites très attention à certains récipients alimentaires, souvent très colorés, dans lesquels vous pourriez préparer glacis et peintures ou entreposer du matériel : ils seront inévitablement très attirants pour des enfants.

● Prenez les précautions d'usage lorsque vous travaillez avec des produits inflammables.

● Lisez toujours attentivement les conseils du fabricant avant de commencer à travailler.

Mesures

Peut-être aurez-vous à faire appel à des fournisseurs étrangers et, en particulier, anglo-saxons. Si tel est le cas, les tableaux de conversion ci-dessous vous seront utiles pour décider des quantités à commander sans vous prendre les pieds et les pouces dans les yards.

Métrage de tissus

⅛ yd	=	10 cm
¼ yd	=	20 cm
⅜ yd	=	40 cm
½ yd	=	45 cm
⅝ yd	=	60 cm
¾ yd	=	70 cm
⅞ yd	=	80 cm
1 yd	=	1 m
1½ yd	=	1,4 m
2 yd	=	1,9 m
2¼ yd	=	2 m
2½ yd	=	2,3 m
2¾ yd	=	2,5 m
3 yd	=	2,7 m
3¼ yd	=	3 m
3½ yd	=	3,2 m
3¾ yd	=	3,5 m
4 yd	=	3,7 m
4⅜ yd	=	4 m
4½ yd	=	4,2 m
5⅞ yd	=	4,5 m
5 yd	=	4,6 m
5½ yd	=	5 m
10 yd	=	9,2 m
10⅞ yd	=	10 m
20 yd	=	18,5 m
21⅓ yd	=	20 m

Largeur des tissus

36 in	=	90 cm
44/45 in	=	115 cm
48 in	=	120 cm
60 in	=	150 cm

1 pouce
= 2,54 cm
(2,5 cm approx.)

1 cm
= 0,3937 pouces
(⅜ de pouce approx.)

1 pied
= 0,3048 m

3 pieds
= 1 yard
= 1 m (approx.)

1 m
= 3,281 pied

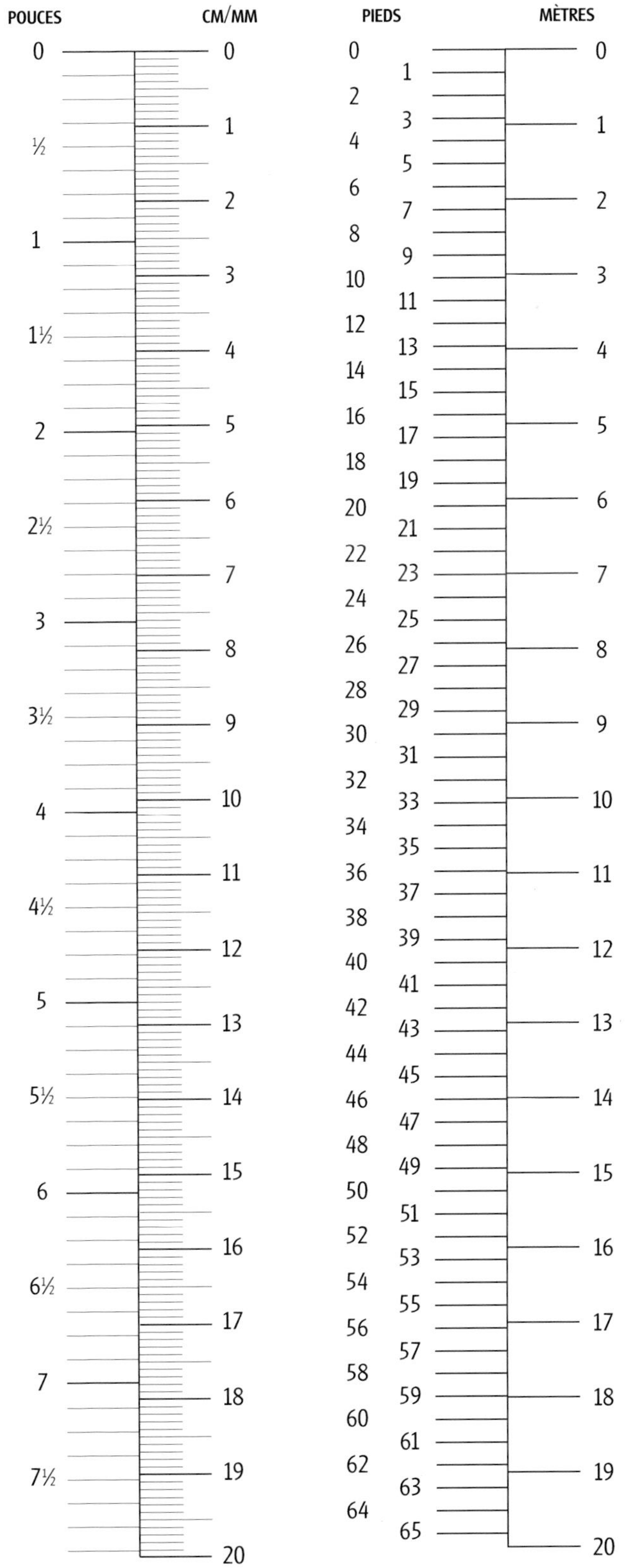
POUCES
CM/MM
0 ½ 1 1½ 2 2½ 3 3½ 4 4½ 5 5½ 6 6½ 7 7½
0 1 2 3 4 5 6 7 8 9 10 11 12 13 14 15 16 17 18 19 20
PIEDS
MÈTRES
0 1 2 3 4 5 6 7 8 9 10 11 12 13 14 15 16 17 18 19 20 21 22 23 24 25 26 27 28 29 30 31 32 33 34 35 36 37 38 39 40 41 42 43 44 45 46 47 48 49 50 51 52 53 54 55 56 57 58 59 60 61 62 63 64 65
0 1 2 3 4 5 6 7 8 9 10 11 12 13 14 15 16 17 18 19 20

Liste des fournisseurs

W. H. Billbrough & Co Ltd
Designer's Walk
326 Davenport Road
Toronto, Ontario
Canada M5R 1K6
Tél. : 416-960 1611

Bristow & Garland
45-47 Salisbury Street
Fordingbridge
Hants SP6 1AB
Tél. : 01425-657337

Brodie & Middleton Ltd
68 Drury Lane
London WC2B 5SP
Tél. : 0171-836 3289

Caxton Decorating & Interiors
26-30 Salisbury Street
Fordingbridge
Hants SP6 1AF
Tél. : 01425-826429

Craig & Rose plc
172 Leith Walk
Edinburgh EH6 5EB
Tél. : 0131-554 1131

Crowson Fabrics Ltd
Crowson House
Bellbrook Park
Uckfield
East Sussex TN22 1PL
Tél. : 01825-761044
(Vente en direct
  du Royaume-Uni :
tél. : 01825-761055
fax : 01825-764283)

Decalux
7733 Bordeaux
Ville de Salle
Québec
Canada HAN 2G8
Tél. : 514-367 4522
Fax : 514-367 4642

Green & Stone
259 King's Road
London SW3 5ER
Tél. : 0171-352 0837

Green & Stone
West Market Place
Cirencester
Glos GLZ 2AE
Voir ci-dessus.

Rubena Grigg
Telegraph Cottage
Cranborne
Dorset BH21 5QU
Tél./fax : 01725-517826

C. Harrison & Son
High Street
Fordingbridge
Hants SP6 1AS
Tél. : 01425-652376

Hartman House Products
4422 Wellington Road
Nanaimo
British Colombia
Canada V9T 2H3
Tél. : 604-758 6660

La Tienda
5 The Arcade
Bread Street
Penzance
Cornwall TR18 2EJ
Tél. : 01736 360788

Leekes of Melksham
Beanacre Road
Melksham
Wilts SN12 8RR
Tél. : 01225-71791

Liberon Waxes Ltd
Mountfield Industrial Estate
Learoyd Road
New Romney
Kent TN28 8XU
Tél. : 01797-367555

LIBERON PRODUCTS FROM :
Sepp Leaf Products
Suite 1301
381 Park Avenue South
New York City, NY 10016
USA
Tél. : 212-683 2840

Malabar
31-33 South Bank Business
Centre
Ponton Road
London SW8 5BL
Tél. : 0171-501 4200
Fax : 0171-501 4210

TISSU MALABAR DE :
Davan Industries
144 Main Street
Port Washington
NY 11050
USA
Tél. : 516-944 6498

Polly Mobsby
(through Bristow & Garland,
Tél. : 01425-657337)

John Myland Ltd
80 Norwood High Street
West Norwood
London SE27 9NW
Tél. : 0181-670 9161

Nouveau Fabrics
56 Queen's Road
Doncaster
South Yorks DN1 2NH
Tél. : 01302-329601

TISSU NOUVEAU DE :
1734 Tully Circle N.E.
Atlanta
GA 30329
USA
Tél. : 4-0463 3266

Osborne & Little
90 Commerce Road
Stamford
CT 06902
USA
Tél. : 203-359 1500

Pebeo (UK) Ltd
416 Solent Business Centre
Millbrook Road West
Southampton
Hants SO15 0HW
Tél. : 01703-901914

Polyvine Ltd
Vine House
Rockhampton
Berkeley
Glos GL13 9DT
Tél. : 01454-261276

Polyvine Inc.
27825 Avenue Hopkins
Unit 1, Valencia
CA 91355-4577
USA
Voir ci-dessus.

Revival Upholstery
89 Purewell
Christchurch
Dorset BH23 1EJ

Star Supplies
P O Box 86
Mendocino
CA 95460
USA
Tél. : 707-937 0375

Stewart Stevenson
68 Clerkenwell Road
London EC1M 5QA
Tel : 0171-253 1693

Stone the Crows
3-5 Broad Street
Bath
Avon BA1 5LJ
Tél. : 01225-460231

Wallpaper Imports
311 Route 46
Fairfield, NJ 07004
USA
Tél. : 973-882 8180
Fax : 973-882 0168

Zebedee Fabrics
120 Seabourne Road
Southbourne
Bournemouth BH5 2HY
Tél. : 01202-422811

Index

Remerciements

Ce livre est dédié à Amelia et Mark Robinson, avec toute mon affection.

Je tiens tout d'abord à remercier Peter et James, qui ont construit le magnifique atelier dans lequel a été réalisé cet ouvrage – je l'adore. Remerciements particuliers à mon fils James pour sa patience infinie et pour sa virtuosité dans le maniement de la scie sauteuse. Son coup d'œil m'a aussi révélé les potentialités contenues dans de vieux meubles décrépits, que nous avons transformés en petits bijoux de style et d'élégance. Bravo !

Je dois aussi beaucoup aux personnes suivantes : Di Lewis, qui a réalisé les photos de ce livre et a su m'encourager par sa gentillesse, sa célérité et son sens de l'humour, qui ont rendu agréables les séances de pose « étape par étape » ! Kristy Craven, styliste, qui a beaucoup travaillé et m'a apporté son soutien moral. Barbara Latham qui, par ses séances de massage à l'aromathérapie, a su me détendre et me donner l'énergie de continuer. Belinda Ballantine qui a su guider sa pire élève en dorure (je reviendrai aux cours !). Katey Spratt, de Revival Upholstery, pour la qualité de son travail de tapissier. Dale, Janey, Rosale et Sue, de chez Caxton Decorating & Interiors, pour leurs conseils, leur aide et leur humour. John Zebedee, qui, en m'apportant tissus, galons et autres articles, m'a fait gagner beaucoup de temps. Mon amie Polly Mobsby, pour la chaise médiévale et autres objets figurant dans ces pages. Richard Paintner, qui m'a laissée utiliser ses magnifiques roses peintes à la main pour la tête de lit de la page 110.

Les entreprises suivantes m'ont gracieusement offert les tissus nécessaires à de nombreuses réalisations : Crowson Fabrics (tissus victoriens des pages 95, 99 et 133) ; Malabar (pour les magnifiques soieries des pages 58 et 115) ; Nouveau Fabrics (pour les splendides tissus Renaissance des pages 72 et 132).

Les entreprises suivantes ont accepté de me prêter du matériel : Caxton Interiors (le rideau de la page 47) : Leekes of Melksham (pour le piédestal et la bassine de la page 68) ; Stone the Crows (pour le petit bateau de la page 68) ; Indigo (pour les délicieuses poignées de porcelaine de la page 100) ; The Compasses Inn, à Damerham, dans le Hampshire, qui nous a laissés utiliser son charmant jardin pour les photos de la page 25.

Je tiens aussi à remercier Barbara Latham pour le joli travail qu'elle a réalisé sur les ustensiles émaillés de la page 68. Et, enfin, Nina Sharman, directrice de collection chez Hamlyn, Louise Griffiths, décoratrice et mon éditrice, Jo Lethaby, pour la patience et le soin qu'elle a apportés à la mise en forme de mon texte sans queue ni tête !